犀の角のようにただ独り歩め

——「スッタニパータ」

増補版

自衛隊と憲法

晶文社

装丁　佐藤直樹＋菊地昌隆（アジール）

増補版 まえがき

２０１５年の安保法制、２０１７年の安倍晋三首相（当時）の自衛隊明記改憲の提案をきっかけに自衛隊と憲法との関係が注目を集めました。この本はタイトルの通り「自衛隊と憲法」について解説したものです。この本では、憲法学者としての私の解釈論も提示しています。ただそれ以上に、憲法や自衛隊法の条文、裁判所の判決や政府の見解を丁寧に解説することを心掛けました。この論点についてメディアで語る人々ですら、こうした前提知識を共有しておらず、建設的な議論が難しい状態に陥っていたからです。

第一版は多くの人に手に取っていただきました。この分野についてしっかりと考えようとする皆さんの参考にしていただけたようで、嬉しく思います。

今回の増補版は、２０２２年2月のロシアのウクライナ侵攻を受けたものです。ロシアの侵略行為は、世界中に衝撃を与えました。日本でも、ウクライナへの連帯とロシアへの非難が高まる一方、今回の武力侵攻の国際法的な評価、憲法9条と日本の防衛の関係、「敵基地攻撃能力・防衛能力」や「核保有・核共有」といったキーワードに注目が集まっています。そこで、第一版の記述を一部修正するとともに、各章末に、最新の問題や安保法制後の動きを受けた「補足」を執筆しました。

「自衛隊と憲法」は、これからも多くの人が真剣に考えるテーマであり続けるでしょう。本書が、正確な知識に基づいて議論をしようとする皆さんの参考になれば幸いです。

2022年5月18日

木村草太

まえがき

２０１７年５月３日、憲法記念日。自民党総裁である安倍晋三氏は、改憲派の集会「第19回公開憲法フォーラム」にビデオメッセージを寄せました。安倍氏は、憲法改正が自民党の党是であることを確認した上で、「わが党、自由民主党は、未来に、国民に責任を持つ政党として、憲法審査会における『具体的な議論』をリードし、その歴史的使命を果たしてまいりたいと思います」と宣言しました。そして、憲法９条について次のように述べました。

【２０１７年５月３日 安倍晋三氏ビデオメッセージ】

例えば憲法９条です。今日、災害救助を含め命懸けで、24時間３６５日、領土、領海、領空、日本人の命を守り抜く、その任務を果たしている自衛隊の姿に対して、国民の信頼は９割を超えています。しかし、多くの憲法学者や政党の中には、自衛隊を違憲とする議論が今なお存在しています。「自衛隊は、違憲かもしれないけれども、何かあれば、命を張って守ってくれ」というのは、あまりにも無責任です。

私は、少なくとも私たちの世代のうちに、自衛隊の存在を憲法上にしっかりと位置付け、

「自衛隊が違憲かもしれない」などの議論が生まれる余地をなくすべきであると考えます。
もちろん、9条の平和主義の理念については、未来に向けて、しっかりと堅持していかなければなりません。そこで「9条1項、2項を残しつつ、自衛隊を明文で書き込む」という考え方、これは国民的な議論に値するだろうと思います。

このビデオメッセージが示されて以降、自衛隊と憲法の関係について関心が高まり、憲法改正に関する議論も活発になりました。ただ、議論の内容を見ると、これまでの解釈の積み重ねを無視したり、憲法の条文とは関係なしに自分の思いのたけを語ったりするものが多いように思われます。こうした状況は、理性的・合理的な議論からは程遠く、残念な気持ちになることもあります。

自衛隊違憲説に長い歴史があるのと同様に、自衛隊を現在の憲法の枠内で説明しようとする政府解釈にも、精密な議論の積み重ねがあります。改憲の是非を論じるためには、憲法の条文やこれまでの議論を正しく理解することが必要です。

書店には、憲法改正についての持論を展開する書籍が多く並んでいます。もちろん、そうした本も、読み物としては面白いでしょう。しかし、前提となる知識を正確かつ体系的に、そして分かりやすく説明する本は、あまりにも少ないように感じています。

そこで、本書では、憲法と自衛隊の関係について、適切に整理しました。また、最近議論されることの多い改憲論についても、ポイントを解説しました。本書を読めば、９条改正について検討すべきポイントを、理解できるはずです。

本書が、市民の皆さんはもちろんのこと、改憲論議を扱うメディア関係者の皆様、国会で審議を行う国会議員の方々やそれを支えるスタッフ、改憲問題の解説を担う有識者の皆様に届くことを期待しています。

それでは、一緒に、自衛隊と憲法の関係、そして改憲論議について考えて行きましょう。

２０１８年４月

木村草太

増補版　自衛隊と憲法　目次

増補版
自衛隊と憲法

序章　憲法改正の手続き

憲法の内容に入る前に、まず、憲法改正の手続を確認しましょう。手続きをしっかり理解しておけば、国民投票で国民に何が求められているのかがわかります。

1 ― 憲法96条

憲法改正について定めた憲法96条は次のように定めます。

【日本国憲法】

第九十六条　この憲法の改正は、各議院の総議員の三分の二以上の賛成で、国会が、これを発議し、国民に提案してその承認を経なければならない。この承認には、特別の国民投票又は国会の定める選挙の際行はれる投票において、その過半数の賛成を必要とする。
2　憲法改正について前項の承認を経たときは、天皇は、国民の名で、この憲法と一体を成すものとして、直ちにこれを公布する。

憲法改正には、まず、衆議院・参議院で、それぞれ「総議員」つまり議員定数の3分の2の賛成で発議します。そして、国民投票にかけ、過半数の賛成を得る必要があります。もっとも、憲法96条は、発議や国民投票の方法を詳しくは定めていません。詳細は、「国会法」と「日本国憲法の改正手続に関する法律」（以下、国民投票法）で規定されています。

2　国会の発議手続

まず、国会法に規定された国会内の手続きについて検討しましょう。国会法は、憲法改正発議について、次のように規定します。

【国会法】

第六十八条の二　議員が日本国憲法の改正案（以下「憲法改正案」という。）の原案（以下「憲法改正原案」という。）を発議するには、第五十六条第一項の規定にかかわらず、衆議院においては議員百人以上、参議院においては議員五十人以上の賛成を要する。
第六十八条の三　前条の憲法改正原案の発議に当たつては、内容において関連する事項ごとに区分して行うものとする。

これらの規定によれば、発議原案の提出には、衆議院で100人、参議院で50人の賛成が必要です。これは、通常の法案を提出するのには、衆議院では20名以上、参議院では10名以上の賛成が必要（予算を伴う場合には、それぞれ50名、20名以上の賛成が必要）とされているのに比べると、ずいぶんと厳しい条件です。憲法改正は、国政の最重要事項なので、国会内の発案が軽々になされないようにしているわけです。

発議手続きに関して重要なのは、「内容において関連する事項ごとに区分」（国会法68条ノ3）という部分です。例えば、憲法9条改正と環境権条項は、全く異なる事項なので、抱き合わせで発議することはできません。これは、国民の支持が高い改憲案と、濫用の恐れのある危険な改憲案がセットで発議されるのを防ぐためです。

3 — 国民投票の手続

次に、国民投票法の内容を確認しましょう。

国民投票には、満18歳以上の日本国民が参加できます（国民投票法3条）。投票は、国会が発議した日から、60日以降、180日以内になされる必要があります（同2条）。国民に十分な情報を届け、落ち着いて考えた上で投票してもらうためです。

発議後は、各議院がその議員の中から各10人の委員を選任して、国会に「国民投票広報協議会」を設けます（同12条）。ここで、国民投票広報の原稿、投票所内で掲示する改正案要旨、その他の広報に関する事務を行います。

市民による国民投票運動は、通常の選挙と比べて、はるかに自由です。テレビやラジオで広告を流すこともできます。ただし、投票日前14日以降は、テレビ・ラジオでの広告は禁じられます（同105条）。投票直前に、大規模にデマが流されたり、感情だけに訴える扇情的な広告が流されたりしないように配慮したものです。

投票所では、投票用紙に書かれた「賛成／反対」の文言に○を付けて投票します。また、複数の案が発議された場合、投票所では、別々の投票用紙が渡され、別々に投票されます。

4 憲法改正限界と国民投票に関する訴訟

では、万が一、憲法改正手続に違法な点があった場合は、どうすればよいのでしょうか。

(1) 手続的問題

まず、投票妨害や票の水増しなどの手続的な不正があった場合には、訴訟を提起できると定められています。

【日本国憲法の改正手続に関する法律】

(国民投票無効の訴訟)

第百二十七条　国民投票に関し異議がある投票人は、中央選挙管理会を被告として、第九十八条第二項の規定による告示の日から三十日以内に、東京高等裁判所に訴訟を提起することができる。

(国民投票無効の判決)

第百二十八条　前条の規定による訴訟の提起があった場合において、次に掲げる事項があり、そのために憲法改正案に係る国民投票の結果(憲法改正案に対する賛成の投票の数が第九十八条第二項に規定する投票総数の二分の一を超えること又は超えないことをいう。第百三十五条において同じ。）に異動を及ぼすおそれがあるときは、裁判所は、その国民投票の全部又は一部の無効を判決しなければならない。

一　国民投票の管理執行に当たる機関が国民投票の管理執行につき遵守すべき手続に関する規定に違反したこと。

二　第百一条、第百二条、第百九条及び第百十一条から第百十三条までの規定について、多数の投票人が一般にその自由な判断による投票を妨げられたといえる重大な違反があったこと。

三　憲法改正案に対する賛成の投票の数又は反対の投票の数の確定に関する判断に誤りがあったこと。

2　前項第一号の国民投票の管理執行に当たる機関には、国民投票広報協議会を含まないものとする。

（2）憲法改正限界

また、日本国憲法の改正には、内容的な限界もあると言われます。

憲法96条は、確かに憲法の改正手続きを定めています。しかし、そこで想定されているのは、あくまで憲法の原理や趣旨を発展させるための改正です。憲法の基本原理に反するような改正は、仮に国民投票で可決しても無効だとされています。憲法96条の手続きを踏んでも改正できない事項のことを「憲法改正限界」と呼びます。

フランスやドイツの憲法には、憲法の明文で改正の限界が定められています。これに対して、日本国憲法には、「○○条は改正できない」と定める明文の規定はありません。しかし、立憲主義・国民主権・平和主義・基本的人権の尊重・権力分立などの憲法の根本原理に反する改正は、改正限界だとの見解が通説です。

また、憲法9条1項の「国際紛争を解決する手段として」の「戦争と、武力による威嚇又は武力の行使」を「永久に放棄」するという文言や、憲法97条の「基本的人権は」「侵すことのできない永久の権利」とする「永久」の文言から、侵略戦争の禁止や基本的人権の尊重を改正限界とする解釈を導くこともできるように思います。

では、改正限界を超える改憲が可決してしまった場合、裁判所の判断を求めることができるのでしょうか。例えば、侵略戦争を解禁する憲法改正がなされた場合に、その有効性について裁判所は判断を示すのでしょうか。

まず、改正限界を超える改憲に基づき命令や権利侵害を受けた人が、命令の差し止めを求めたり、損害賠償を求めたりする訴訟の中で、改正無効を争うことはできるでしょう。

では、国民投票法に基づく国民投票無効の訴訟はできるのでしょうか。この訴訟は、手続の違法を対象とするものとして設計されていますから、改正内容が不当であることを理由に訴えるのは、少し難しいようにも思われます。しかし、本来であれば、選挙管理委員会は、改正限界を超える改憲発議について国民投票手続を進めてはいけないはずです。つまり、「改正限界を超える手続を進めてはいけない」との憲法上の要請は、「管理執行につき遵守すべき手続に関する規定」の一つであると理解することも可能かもしれません。そうすると、改正限界を超える改憲発議に基づく国民投票は、国民投票法128条1項1号の訴訟の対象になるという解釈もできるかもしれません。

こうした国民投票訴訟の解釈は、突飛に思われるかもしれません。しかし、一票の格差訴訟で使われる選挙無効訴訟も、当初は、投票価値の不均衡のような選挙制度の内容の問題は対象外で、純粋に手続的な問題を扱うものとされていました。国民投票訴訟も、選挙無効訴訟のように、内容的な問題を含めて審査される場になる可能性も十分にあります。

5 — 自民党草案の発議?

先述の通り、国民投票は、内容ごとに区分して行わなければなりません。

ここで、自民党が２０１２年に発表した改憲草案に基づく改憲が可能かを考えてみましょう。この草案は、大規模な改正案で、ほとんどすべての条文を書き換えるものです。

もしも、自民党改憲草案を内容ごとに区分するとすれば、①前文、②天皇元首条項、③皇位継承条項、④国旗国歌条項、⑤元号条項、⑥国事行為文言修正、⑦国事行為新設、⑧摂政規定文言修正、⑨皇室財産文言修正、⑩９条１項文言修正、⑪９条２項削除・自衛権条項新設、⑫国防軍創設、⑬領土保全条項、⑭人権規定文言修正、⑮公秩序尊重義務創設、⑯個人尊重削除・人の尊重、⑰障害者差別禁止規定創設、⑱奴隷的拘束規定削除、⑲個人情報保護規定、⑳表現の自由行使の場合の公秩序尊重義務、㉑国の説明責任創設、㉒家族互い助け合い条項創設、㉓環境保全義務創設、㉔在外国民保護規定創設、㉕犯罪被害者保護規定創設、㉖国の未来切り拓く教育規定創設、㉗公務員の労働基本権制限規定創設、㉘知的財産権規定創設、㉙国会関係規定文言修正、㉚投票価値均衡要請後退条項、㉛通常国会会期条項、㉜臨時国会召集期限、㉝解散権規定創設、㉞国会議決の定足数規定創設、㉟首相の国会出席免除規定創設、㊱政党条項創設、㊲内閣関係文言修正、㊳首相臨時代理規定創設、㊴司法権関連規定文言修正、㊵裁判官減給規定創設、㊶財政健全化条項、㊷補正予算条項、㊸予算継続条項、㊹私学助成関係文言修正、㊺会計検査院関係修正、㊻地方自治住民義務条項創設、㊼国地方役割分担条項創設、㊽外国人地方参政権禁止条項、㊾地方

財政条項、㊿地方自治関係規定文言修正、51緊急事態条項、52改正手続過半数賛成への変更、53国民憲法尊重擁護義務条項と、合計53項目もの改正になります。

投票に参加する国民に53枚の投票用紙を渡し、53個の投票箱を用意することになります。これでは、投票所は大混乱でしょう。仮に、1回3件に絞って毎年国民投票をやるとしても、18年もかかる大事業になります。

本気で憲法改正を目指すなら、そんな荒唐無稽な提案はしないでしょう。こう考えると、2012年自民党草案は、本気の提案とは言い難いものなのです。

ときどき、2012年自民党草案が発議されることを心配する方から、「草案全部が同時に発議され、よく分からないまま強引に国民投票が行われるのではないか」との声をいただきます。しかし、現行法を前提とする限り、草案を一度に国民投票にかけることはできません。

以上で、憲法改正手続の基本をご理解いただけたかと思います。いよいよ憲法改正論議の分析に入っていきましょう。

第一章　国際法と武力行使

主権国家による武力行使は、国内だけでなく、国際社会に大きな影響を与えます。ですから、武力行使は各国の憲法・法律によって規律されるだけでなく、国際法によっても厳しく規律されています。つまり、武力行使に関する憲法条文を解釈したり、変えたりする場合には、国際法に違反する内容にしてはいけません。

そこで、日本国憲法を理解する前提として、国際法の内容を確認しましょう。

1―19世紀の国際法

19世紀の国際法では、主権国家が他の主権国家に対して武力行使することそれ自体は違法ではありませんでした。もちろん、当時の国際法でも、「武力行使やりたい放題」というわけではありません。奇襲攻撃、捕虜の虐待、民間人の虐殺などは国際法違反とされていました。ただ、きちんと宣戦布告の手続きを踏み、戦時国際法のルールを守りさえすれば、武力行使それ自体は適法とされていたのです。このため、植民地の獲得、借金の回収、資源の獲得、軍事的優位を維持するための先制攻撃など、様々な目的で武力が行使されました。

ここで、「戦争」という用語について確認しましょう。日常用語として使われる場合、「戦争」という言葉は、広く人と人との争いを意味します。「受験戦争」とか「クリスマスは百貨店にとって戦争だ」といった使い方のように、身近な争いや非常事態を指すこともあります。「湾岸戦争」や「ベトナム戦争」のように、国家同士の戦いを意味することもあります。

他方、法律用語としての「戦争」は、「相手国が自国や他国を侵略していない状況でなされる、宣戦布告を経た武力行使」という意味で使われることが多いです。後で説明するように、現代の国際法では、侵略をしていない国にこちらから手を出すタイプの武力行使は全て違法ですから、「戦争」は一切許されません。政府は、2015年安保法制のことを「戦争法案」と呼ばれるのを嫌がりましたが、それも、この法制が国際法違反の「戦争」を正当化するものではなかったからでしょう。

これに対し、「武力行使」という言葉は、「戦争」よりも広く、「ある国が他の国に対して実力を行使すること」を意味します。「戦争」もその一種ですが、自分の国が攻撃された場合の自衛措置なども含まれています。

「そんな細かい話はどうでもいい」と感じる方もいるかもしれませんが、法の話をするときには定義がとても大切です。法律用語として「戦争」と「武力行使」にどんな違いがあるのか、しっかりと理解しておいてください。

では、なぜ19世紀の国際法は、戦争や武力行使は違法ではないとしていたのでしょうか。それは、「国際的な紛争があれば武力で解決する」というのが常識となっていた当時は、いくら国際法が「違法」と宣言したところで、武力行使を止めることができないという現実があったからです。そこで、当時の国際法は、「戦争をやるなら、奇襲攻撃はしないとか、民間人を虐殺しないといったルールぐらいはせめて守ろう」という方向に発展していきました。

2 ― 20世紀の戦争・武力行使の違法化

19世紀の国際法では、ちょっとしたアクシデントが原因で、大砲を一発放ってしまった場合には、違法と評価されます。これに対して、宣戦布告の手続きを踏みさえすれば、最初に悪いことをしたのがどちらの国かは不問になり、大砲を百発撃っても、相手国を占領して無理やり併合しても適法です。この状況を見て、著名な国際法学者のハンス・ケルゼンは、「窃盗は処罰するが、強盗は放任すると言っているようなものだ」と批判しています。

20世紀に入ると、「宣戦布告さえすれば、いくらでも武力行使できる」というルールはさすがにおかしいと考えられるようになり、戦争や武力行使を禁止する条約が結ばれてゆきます。１９０７年の「ポーター条約」が最初のものだと言われています。アメリカのポーター将軍が、欧米列強が武力を使って南米諸国に借金の返済を迫る姿に心を痛め、債権回収のために武力を使うことを禁じるように提案したそうです。裏を返せば、当時は、武力による債権回収が横行していたということですね。

その後も、１９１９年の国際連盟規約、１９２８年のパリ不戦条約など、武力行使を禁止する条約がいくつも結ばれました。パリ不戦条約は、世界史の教科書にも出てくる有名な条約で、「国際紛争を解決するため」の武力行使を禁じています。この「国際紛争を解決するため」という文言は、相手が侵略してきたわけでもないのに、国際的な紛争で自分の意見を押し通すために、こちらから手を出すという意味です。一般に「侵略」と呼ばれる行為を禁じているわけです。後で見るように、この文言は日本国憲法9条1項にも受け継がれています。

3 — 国連憲章の武力不行使原則とその例外

さらに、二度の世界大戦を経て、ついに、武力行使は原則として禁止されることになりました。国連憲章2条4項は、次のように定めています。

【国際連合憲章2条4項】
すべての加盟国は、その国際関係において、武力による威嚇又は武力の行使を、いかなる国の領土保全又は政治的独立に対するものも、また、国際連合の目的と両立しない他のいかなる方法によるものも慎まなければならない。

これは確立した国際法原則であり、「武力不行使原則」と呼ばれています。この原則により、19世紀国際法的な意味での「戦争」はもちろん、あらゆる武力行使が原則として禁止されました。

しかし、侵略国家が登場した場合にまでこの原則を貫けば、侵略を受けた国にとってあまりに酷です。侵略国家が現れたときには、国際社会が団結して戦うべきでしょう。そこで、国際連合の安全保障理事会には、侵略を排除するために必要な武力行使を認める決議を出す権限が与えられています(国連憲章42条)。

この決議が出た場合、加盟国は、国連軍の軍事活動に参加したり、多国籍軍として武力行使したりできます。国連軍とは、国連の指揮権に服する軍隊で、各国が兵力を出し合って国連の下で活動するものです。他方、多国籍軍は、あくまで指揮権は各国にあり、共同の軍事行動をとるために協力する複数国の軍隊です。例えば、湾岸戦争(1990~91年)では、イラクのクウェート侵攻に対し加盟国が武力を用いることを認める決議(1990年11月29日安保理決議678)が出されました。米軍を中心とした多国籍軍の武力行使は、この決議に根拠があったのです。

こうした国連による侵略への対抗措置は、「集団安全保障」と呼ばれます。国際法の理念では、侵略に対しては、国連を中心として、国際社会全体で対応することになっています。

ただし、「国連が対応をとるまで被害国は侵略を甘受しろ」というのは、さすがに不合理でしょう。安全保障理事会は合議体ですから、決議を出すにはそれなりの時間がかかります。また、各国の思惑がすれ違い、適切な安保理決議ができないこともあります。そこで、安保理決議が出るまでの間、各国には、個別的自衛権と集団的自衛権の行使が認められています(国連憲章51条)。

個別的自衛権とは、被害国が、自国への武力攻撃を排除するために、必要最小限度の武力行使をする権利です。他方、集団的自衛権とは、被害国から要請を受けた国が、被害国の防衛を援助するために、必要最小限度の武力行使をする権利です。時折、「個別的自衛権と集団的自衛権を区別しているのは日本だけだ」などと言う人がいますが、そんなことはありません。この二つの権利は行使要件が異なる別々の権利です。

4 ― 自衛権の行使条件

個別的自衛権・集団的自衛権は、いつでも好きな時に好きなだけ行使できるというものではありません。個別的自衛権・集団的自衛権の行使が許されるための条件を整理しておきましょう。

　第一に、個別的自衛権の場合は自国が、集団的自衛権の場合は救援を要請する被害国が、「武力攻撃」を受けていることが必要です。ここでの「武力攻撃」という言葉は、「武力行使」よりも強いニュアンスがあり、侵略国家による組織的な武力を用いた攻撃を意味します。なぜこのような限定をつけたのでしょうか。

　国連憲章を作るプロセスでは、もともと、安保理決議に基づく集団安全保障措置の他は個別的自衛権だけを認める条文が検討されていました。しかし、地域的な安全保障の仕組みを作っていた南米諸国の要望を容れる形で、集団的自衛権が盛り込まれることになりました。ただ、集団的自衛権は、濫用の危険も大きい権利です。そこで、集団的自衛権が行使できる場面を限定するために、微妙な実力の行使や突発的な小競り合いを含むニュアンスの「武力行使」ではなく、明確に侵略と言える「武力攻撃」という言葉が選択されました。

　第二に、個別的自衛権・集団的自衛権に基づく武力行使は、「必要性」と「均衡性」が認められる範囲で行わなくてはなりません。必要性とは、被害国への武力攻撃を防ぐために必要な範囲を超えてはいけないという意味です。均衡性とは、被害国が受けた攻撃と比べ過剰な武力行使になってはならないという意味です。例えば、空軍基地を鎮圧すれば十分に攻撃を防げるという場面で、相手国の全土を空爆するのは「必要性」がなく違法な攻撃だと言われるでしょう。また、自国の戦闘機が一機撃墜された状況で、核兵器を使って相手の国の大都市を滅ぼしてしまうのは「均衡性」が著しく欠けます。

さらに、集団的自衛権の行使には、武力攻撃を受けた被害国による援助要請が必要とされています。これは、第三国の勝手な介入がかえって紛争激化を招くなど、援助を受ける国の不利益になることを防ぐためです。

ここで、「武力攻撃」について補足説明しておきましょう。個別的自衛権や集団的自衛権を行使できるのは、相手の国が被害国を「武力攻撃した後」だけです。この点について、「ミサイルが着弾したり、国境を越えた陸軍が破壊活動を始めたりしないと、防衛ができないのはおかしい」と批判する人にしばしば出会います。しかし、それは全くの誤解です。

国際法上の「武力攻撃」は、実際に、人命が失われたり、領土が侵されたりした段階になって初めて認定されるものではありません。加害国が武力攻撃の態勢に入り、武力攻撃を引き返せない段階に入ったところ、すなわち、「武力攻撃の着手」があった段階で認定されるとされています。例えば、海軍の艦隊が攻撃の意思を持って集結し領海に侵入した段階、あるいは、空爆を目的とした戦闘機が領空に侵入した段階で、実際に被害が出ていなくても「武力攻撃への着手」が認定され、個別的自衛権や集団的自衛権を行使することができます。

また、ミサイル攻撃の場合、発射作業は通常、加害国の基地や航空機・戦艦・潜水艦などの中で行われ、発射後に迎撃することは不可能ないし著しく困難です。このため、ミサイルを使った武力攻撃については、ミサイルを発射台に設置したり、燃料を入れたりした段階で着手が認定できるとされます。つまり、侵略を意図してミサイル発射を準備する国は、発射前にミサイル基地を攻撃されても文句は言えません。

もちろん、武力攻撃への着手が認定できるのは、他の国への武力攻撃の目的がある場合だけです。例えば、2017年に繰り返された北朝鮮のミサイル実験は、安保理決議に違反する、国際法違反の行為です。しかし、他の国への武力攻撃ではないため、アメリカや日本がこの段階で北朝鮮のミサイル基地を攻撃すれば、自衛権では正当化できない違法な武力行使と評価されるでしょう。

5 ― 安保理決議・自衛権の濫用

このように現代の国際法は、武力行使は違法であることを基本としつつ(武力不行使原則)、集団安全保障措置・個別的自衛権・集団的自衛権の要件を充たす場合には、例外的に、侵略国家に対する武力行使の違法性を阻却しています。こうした考え方は、多くの人の正義感情にも適うものでしょう。ですから、集団安全保障や個別的自衛権・集団的自衛権の概念そのものを悪者扱いするのは妥当ではありません。

ただし、集団安全保障措置にしろ、個別的自衛権・集団的自衛権にしろ、武力行使を正当化する根拠は、とても濫用されやすい、危険なものである点に注意が必要です。

国際法は、国内法と違って、それを強制執行する仕組みが未発達です。例えば、日本国内で身勝手な理由で人を傷つけた場合、「あれは正当防衛だった」といくら主張したところで、警察や裁判所は取り合ってくれません。適切に刑法が執行されるでしょう。これに対し、アメリカやロシアなどの大国が、侵略行為を「自衛権の行使だ」とか「国連決議に基づいている」と強弁した場合、それを強制的に止めてくれる機関はありません。ソ連によるアフガニスタン侵攻（１９７９〜89年）や、アメリカによるベトナム戦争（１９６４〜73年）は、「集団的自衛権の行使」だと説明されましたが、これらは権利の濫用だったと国際法学者から非難されています。

こうした国際法上の権利濫用を防ぐためには、各国で、武力行使を厳密にコントロールし、国際法違反を防ぐ憲法・法律、行政上の仕組み、司法システムを整えなくてはなりません。そこで、次に、日本国憲法の武力行使の統制についての規定を見て行きましょう。

第一章補足

ウクライナ侵攻と国際法

２０２２年2月24日、ロシアがウクライナに対し武力攻撃を開始しました。この武力行使は、国際法上どのような評価を受けるのでしょうか。

まず、ロシア側の説明を整理しましょう。２０２２年2月21日、ロシアは、①ウクライナのドネスク州・ルハンスク州が独立し、「共和国」になったと決定しました。次いで、2月24日、②ウクライナが両「共和国」でジェノサイドをしており、それを止めさせる必要があること、また、③両「共和国」がウクライナから攻撃を受けており、その防衛のため集団的自衛権（国連憲章51条）を行使できることを根拠に、ウクライナ侵攻を始めました。ロシアは、これは国際法で禁じられた「侵略戦争」ではなく「特別の軍事作戦」だと表現しています。

集団的自衛権を行使する場合には、安全保障理事会に通知する必要があります。このため、ロシアは2月24日、国連事務総長および安全保障理事会に対し、③両「共和国」のために集団的自衛権を行使する旨の通知をしました。

こうしてみると、ロシアも国際法を無視してよいと考えているわけではなく、武力行使の根拠を国際法で説明しようとしていることがわかります。では、ロシアの説明は成り立つのでしょうか。

国連総会は、2022年3月2日、ロシアを非難する決議（A/RES/ES-11/1）をしました。さらに、国際司法裁判所（ICJ）も、2022年3月16日、ロシアに即時撤退を求める暫定命令（Ukraine v. Russian Federation）を出しています。これらの決議・命令が①～③のポイントについてどのような判断をしたのか、整理してみましょう。

まず、前提として、①ドネスク州・ルハンスク州の「独立」を承認する国はほとんどありません。それまで明白にウクライナの領土だった地域を、ロシアの一方的な宣言だけで独立させられてしまってはたまりませんから、当然のことです。そんなことが許されるなら、ロシアがある日突然、「日本から『北海道共和国』が独立した」とか「中国から『黒竜江共和国』が独立した」と決定し、それらの「共和国」の防衛のために、日本や中国に武力を行使してよいことになってしまいます。国連総会決議は、ロシアの2月21日の①決定を否定し、武力行使は違法なウクライナの主権侵害だとしています。

次に、②ジェノサイドについてはどうでしょうか。ロシアもウクライナも、ジェノサイド条約に参加していますから、ジェノサイドにまつわる紛争があるときには、国際司法裁判所の判断を受けることができます。そこで、ウクライナは、ウクライナがジェノサイドなどしていないこと、それを根拠にロシアが武力を行使することは違法であること、を確認してもらうため提訴しました。

ロシアの武力行使によって、現に多くの犠牲が出ていますから、迅速な判断が必要です。

そこで、国際司法裁判所は、簡易迅速な手続によって「暫定命令」を出しました。その内容は、ウクライナのジェノサイドは認定できず、ロシアは「特別の軍事作戦」を即座に取りやめ、ウクライナの領土から撤退しなくてはならないとするものでした。

最後に、③集団的自衛権についてはどのような判断がなされたのでしょうか。そもそもウクライナから武力攻撃を受けた両「共和国」の独立が認められないのですから、ロシアのやっていることはウクライナの主権侵害になります。そこで、国連総会決議は、ロシアに即時撤退を求めています。

このように、権威ある国際機関が、ロシアのウクライナ侵攻は国際法違反だと非難しています。しかし、残念ながら、国際法には十分な強制力がないため、国際法違反が認定されただけでは武力行使を止めさせることはできません。ただ、国際法の存在が無意味なわけではありません。国際法は、国際社会での適法・違法の判断基準となります。日本やその他の国がロシアを非難したり、経済制裁を行ったりできるのは、国際法があるからだ、ということを忘れてはなりません。

第二章　憲法9条とその意義

　さて、ここまでの議論を整理すると、現在の国際法では、武力不行使原則が確立しており、例外として、①安保理決議に基づく国連軍・多国籍軍の集団安全保障措置、②個別的自衛権の行使、③集団的自衛権の行使の三種類の武力行使が認められるのみ、ということになります。もっとも、これらの武力行使は、「国際法上やってよい」というだけで、「必ずやらなくてはならない」というものではありません。つまり、各国が、憲法や法律で独自に武力行使を制限しても、国際法違反にはなりません。

　国際法上の権利が濫用されることを防ぐには、各国が武力行使を慎重にコントロールする仕組みを設けなくてはならないというお話をしました。では、日本国憲法は武力行使についてど、どのような態度をとっているのでしょうか。次に、この点を確認しましょう。

1―憲法と立憲主義

日本国憲法は、武力行使の在り方についても定めています。では、そもそも、憲法とは何なのでしょうか。

中世の国家は、貴族や宗教団体が独自の権力を持ち、多元的に人々を支配していました。それぞれに軍隊のような組織を持ったり、税金をとったりしていたのです。これでは、権力者同士のけんかが絶えないなど、人々の生活が不安定になってしまいます。そうした混乱ののち、近代に入ると、国家権力が他の権力を圧倒するようになります。そして、領域内の権力を独占するに至りました。こうした領域内最高で、対外的に独立した権力のことを「主権」と言い、それを担う国家を主権国家と言います。

主権国家の成立により、領域内で地方領主や宗教団体が内戦を巻き起こすことはなくなりました。主権は、領域内の治安を守り、国民の安全を保障するためになくてはならない権力です。しかし、権力があまりに集中しているため、それが濫用されれば、これまで以上に悲惨な事態が起きます。そこで、主権の濫用を抑制するための法を作ろうという考え方が生まれてきます。この考え方を「立憲主義」と呼び、これに基づいて作られた法を

「立憲的意味の憲法」と言います。

立憲主義に基づく憲法は、過去の国家権力の失敗を踏まえ、それらを繰り返さないようにルールを盛り込んでいます。国家権力の犯しやすい失敗と言えば、①戦争、②人権侵害、③独裁です。この国家権力の三大失敗を防ぐため、多くの国の憲法には、①軍隊と戦争をコントロールする規定、②人権を保障する規定、③三権分立などの権力分立規定が盛り込まれています。

このように、軍隊と戦争のコントロールは、立憲主義的な憲法の主要な役割の一つであり、多くの国で「シビリアンコントロール」と呼ばれる仕組みが採用されています。シビリアンとは「文民」のことを言います。軍の最高指揮権を、軍人ではなく民主的に選ばれた大統領や首相に担わせたり、海外派兵に議会承認を要求したりして、軍を民主的にコントロールしようとする仕組みです。

2　憲法9条の二つの解釈：芦田修正説と武力行使一般禁止説

日本国憲法において、軍と戦争をコントロールする規定と言えば、もちろん憲法9条です。改めて条文を確認してみましょう。

【日本国憲法第9条】

1　日本国民は、正義と秩序を基調とする国際平和を誠実に希求し、国権の発動たる戦争と、武力による威嚇又は武力の行使は、国際紛争を解決する手段としては、永久にこれを放棄する。

2　前項の目的を達するため、陸海空軍その他の戦力は、これを保持しない。国の交戦権は、これを認めない。

まず、1項は、「ありとあらゆる」戦争・武力による威嚇・武力行使を放棄しているわけではなく、「国際紛争を解決する手段として」のそれらを禁止しています。この文言は、第一章2に見たパリ不戦条約に由来するもので、国際的な紛争の際に自分から先に手を出す、いわゆる侵略行為を意味するものと解釈されています。

こうした「国際紛争を解決する」ための武力行使は、現在の国際法では正当化される余地はありません。現代の常識的な倫理観から見て、許されるものではないでしょう。改めて条文の文言を読んでみると、単に「禁止する」ではなく、「永久にこれを放棄する」と、かなり強い表現を使っています。このため、憲法9条1項は、たとえ憲法改正手続きを経ても改正することはできない改正禁止規定だと考える人もいます。改憲派の人であっても、憲法9条1項の改正まで主張する人は、少数、というより異端です。

次に、2項は、陸海空軍に代表される「戦力」と「交戦権」を否定しています。この条文には、大きく分けて二つの解釈があります。

第一の解釈は、「前項の目的を達するため」という文言を重視し、2項が保持を禁止している「軍」・「戦力」は、あくまで「国際紛争を解決する手段」、つまり侵略用の軍隊や戦力だとします。この解釈によれば、侵略に使わないのであれば、軍隊や戦力は持っても良いということになります。

この解釈は「芦田修正説」と呼ばれています。「前項の目的を達するため」との文言は、日本国憲法の原案を審議した第90回帝国議会で、芦田均衆議院議員の提案で挿入されたものとされます。「芦田議員による修正の意図が、侵略用でない軍隊や戦力の保有を認めるところにあった」というのが、この説の論拠となっています。「芦田氏の意図ではなく、シンプルにこの文言から、こうした結論を導き出せる」という見解もありますが、芦田氏の修正に依拠することには変わりありませんから、それも広い意味での「芦田修正説」と呼んで良いでしょう。

第二の解釈は、9条2項は、侵略目的か否かを問わず、「軍」一般、「戦力」一般の保持を禁止する文言であることを重視して、あらゆる軍・戦力を認めていないとします。この見解を採ると、軍・戦力を持てない結果として、あらゆる武力行使が許されないことになります。

では、この解釈を採る人は、「前項の目的を達するため」の文言をどう理解するのでしょうか。例えば、銃規制について考えてみましょう。銃は悪い人が使えばとても危険な道具ですが、いざという時には護身用にも使えます。となると、本当に規制したいのは「犯罪に使われる銃」だけのはずです。しかし、「犯罪に使う銃」だけを規制することは実際には困難です。犯罪に使おうとしている人も「護身用です」と嘘をついて銃を所持するようになるでしょう。そこで、銃による犯罪を防ぐには、「護身用等も含めて銃一般を規制する」という政策をとることにも合理性があります。

軍・戦力の保持についても同じことが言えます。本当に防ぎたいのは侵略目的の軍・戦力の保有です。しかし、侵略目的か否かを見極めることは非常に困難ですから、あからさまな侵略用の軍・戦力だけでなく、軍・戦力一般の保有を禁じることにも、合理性があるでしょう。こうした考慮を背景に、「武力行使一般禁止説」は、かなり説得的な解釈となっています。

3―内閣に負託された権限

では、どちらの見解が妥当なのでしょうか。憲法9条の文言だけを見ると、芦田修正説も武力行使一般禁止説も、それなりの説得力があります。しかし、芦田修正説には、憲法9条以外の部分で、致命的な欠点があります。

日本国憲法は、国民主権の原理を採用しています。国民主権の下では、天皇・国会・内閣・裁判所といったすべての国家機関は、主権者国民から負託された権限しか行使できません。では、国民がどのようにして権限を負託するのかと言えば、憲法に記載することによってです。つまり、国家機関は、憲法で規定されていない権限を勝手に行使することは許されません。例えば、国会が司法権を行使したり、内閣が立法権を行使したりすることは、弾劾裁判（憲法64条）などの憲法の明文で規定された例外以外には許されないのです。

芦田修正説を前提にすると、日本国憲法は、侵略戦争にあたらない限り、軍隊による軍事活動を行う権限を規定しているはずです。軍事活動は、「立法」でも「司法」でもありませんから、国会や裁判所の権限ではないのは明らかでしょう。では、内閣の権限に含まれるでしょうか。日本国憲法73条は、内閣の権限を次のように規定しています。

【日本国憲法第73条】
内閣は、他の一般行政事務の外、左の事務を行ふ。
一　法律を誠実に執行し、国務を総理すること。
二　外交関係を処理すること。
三　条約を締結すること。但し、事前に、時宜によつては事後に、国会の承認を経ることを必要とする。
四　法律の定める基準に従ひ、官吏に関する事務を掌理すること。
五　予算を作成して国会に提出すること。
六　この憲法及び法律の規定を実施するために、政令を制定すること。但し、政令には、特にその法律の委任がある場合を除いては、罰則を設けることができない。
七　大赦、特赦、減刑、刑の執行の免除及び復権を決定すること。

これらが、国民が内閣に負託した権限です。

まず、内閣は「行政権」を担う機関とされ（憲法65条）、内閣は「一般行政事務」を行います（同73条柱書）。「行政権」とは、国内支配作用から立法と司法を除いたものと定義されます。こうした行政権の定義の仕方は、立法と司法の引き算で行政を定義するため「控除説」と呼ばれます。

この控除説で引き算の発端となる「国内支配作用」とは、国家が国民を支配する作用のことを言います。命令を出したり、強制的に逮捕したりするのが、その典型例です。注意してほしいのは、この「国内支配作用」は、あくまで国家と国民との関係で生じるものだという点です。内閣が衆議院を解散したり、国会が首相を指名したりといった「国家機関同士の関係」や、日本の首相がアメリカ大統領と会談したり、外国に軍隊を派遣したりといった「日本国と外国との関係」についての権限は、国内支配作用とは言えないので、「行政権」の定義には含まれません。

もっとも、現代の国際社会で、内閣に外国との関係を取り結ぶ権限がないと大変なことになります。そこで、憲法73条2号は「外交」の権限、同3号は「条約締結」の権限を内閣に負託しています。

では、軍隊を動かして軍事活動を展開する権限は、内閣の権限として憲法で負託されていると言えるでしょうか。まず、海外で外国を攻撃することは、国内支配作用ではありませんから、「行政権」に含まれるという説明は困難です。

では、「外交」の一種だと言えるでしょうか。確かに、軍事活動は、外交を補完する面があります。アメリカ大統領は、「もしも言うことを聞かなければ、空爆するかもしれないよ」という圧力をかけながら、外交交渉することもあるでしょう。

しかし、軍事活動に外交を補完する面があるからと言って、それが「外交」に含まれることにはなりません。外交の特徴は、お互いの主権を尊重して合意に基づいて進められることにあります。これに対し、「軍事」は、相手の主権を無視してそれを制圧するために行われます。例えば、空爆や地上軍派遣のことを「外交努力」とは言いませんが、それは、相手国の同意なしに、その国の主権を制圧するために行われるからです。

このように、憲法73条2号の「外交権限」に、海外に軍隊を派遣したり、空爆やミサイル攻撃をしたりすることが含まれるという説明は困難です。

4 — 軍事権のカテゴリカルな消去

結局、軍事に関わる権限は、今見た憲法73条を含め、憲法のどこにも書いてありません。これは、偶然ではありません。ましてや、うっかり書き損なったのでもありません。主権者国民が、内閣や国会に軍事活動を行う権限を負託しないと決断したことを意味します。このことを「軍事権のカテゴリカルな消去」と言います。

日本国憲法だけを読んでいると、軍事権をカテゴリカルに消去していることには、なかなか気付けないでしょう。しかし、軍隊のある国の憲法と読み比べると、このことは明確になります。

たとえば、アメリカ合衆国憲法は、戦争の宣言、軍隊の徴募・財政的措置、海軍の建設・維持、軍の規律制定を連邦議会の権限とし（第一条第八節）、軍の総指揮官を大統領とすることで文民統制を図っています（第二条第二節）。ドイツ連邦共和国基本法では、ドイツ軍は、自国の防衛のための出動以外は、憲法に規定された限度でしか出動ができないとしています（87a条）。フランス第五共和制憲法でも、軍の最高指揮権を大統領に与えることで文民統制を実現し（15条）、宣戦は国会が承認し、4か月以上の海外派兵については、その都度、政府が国会に説明し承認をとることになっています（35条）。

また、大日本帝国憲法にも、「天皇ハ陸海軍ヲ統帥ス」（11条）とか、「天皇ハ陸海軍ノ編制及常備兵額ヲ定ム」（12条）、「天皇ハ戦ヲ宣シ和ヲ講シ及諸般ノ条約ヲ締結ス」（13条）といった軍に関する規定がありました。これらの規定は、軍の指揮権（統帥）・組織権（編成）、宣戦布告権を全て天皇だけの決定に委ねるいびつな規定ですが、天皇に軍事権を行使する根拠を与えるものになっています。

このように、軍を持つ国の憲法は、軍の指揮権や派遣の手続きについての規定を設けて、軍をコントロールするのが普通です。そもそも、国家の三大失敗の一つに戦争がありました。立憲主義的な憲法にとって、軍隊のコントロールは重要な役割の一つなのです。

しかし、日本国憲法には、そうした規定が一切存在しません。それは、「軍を置かないことが前提になっているからだ」と考えざるを得ません。

なお、時折、「軍事権のカテゴリカルな消去などという話は聞いたことがない。控除説だから、軍事権も行政権の一種のはずだ」などと強弁する人がいます。しかし、行政権についての控除説は、「国内支配作用から立法と司法を除いたもの」ですから、そのような主張は成り立ちえません。「控除説」という言葉だけ覚えて、国内関係と国際関係の違いについての理解を欠いた、稚拙な主張と言わざるを得ません。

5 憲法9条の読み方

さて、このように見てくると、軍・戦力一般を持ってはいけないとする武力行使一般禁止説の方が素直でしょう。

ここまで説明しても、まだ芦田修正説を採ろうという人には、次のように教えてあげてください。「もし芦田修正説を採り、日本は軍隊を持って良いと解釈すると、軍隊を憲法でコントロールすることが全くできないことになってしまいますよ」と。

例えば、憲法に、「軍隊を指揮する権限は首相にある」と書いてあれば、シビリアンコントロールができるでしょう。しかし、日本国憲法は軍隊を持つことを想定していないので、シビリアンコントロールの規定すらありません。「軍を海外に派遣する場合には、議会の同意が必要である」と書いた規定もありません。今の憲法のまま軍隊を置いたならば、何らかの理由で軍人が暴走したとしても、それを憲法違反と評価できないのです。

このように、芦田修正説は、憲法9条自体の読み方としてはありうるとしても、国会や内閣の規定を視野に入れて考えると、憲法の体系とは整合しません。このため、現在では、芦田修正説を採る憲法学者はそれほど多くはないと言われます。

では、日本政府は、憲法9条をどのように解釈しているのでしょうか。以上の議論を踏まえて、検討してみましょう。

第二章補足
平和のための規定は憲法9条だけではない

第二章に見たように、旧憲法11〜13条前段には、軍事に関する権限の規定がありました。これを消去したのが、憲法9条というわけです。

ロシアによるウクライナ侵攻のあと、憲法9条には二つの方向から注目が集まりました。一つ目は、日本が侵略されたとき、軍・戦力の不保持を規定する憲法9条の下で、十分な防衛ができるか、という不安です。二つ目は、もしロシアの憲法に憲法9条のような規定があれば、侵略を防げたのではないか、という思考実験です。第一の不安については、第三章以下で、憲法9条の下でも日本が侵略された場合に、防衛のための武力行使が禁じられているわけではない、という点を詳しく説明します。そこで、この補足では、第二の思考実験について考えてみましょう。

まず、確認すべきは、ロシア連邦憲法も侵略戦争を肯定しているわけではない、という点です。同憲法15条は、「国際法の一般原則および規範、ならびにロシア連邦の国際条約は、ロシア連邦の法体系を構成する一部となる」と定めており（ロシア連邦憲法・2020年改正後の条文・溝口修平訳〈初宿正典・辻村みよ子編『新解説世界憲法集（第5版）』三省堂、2020年、295頁〉）、国際法に従うことを規定しています。ウクライナ侵攻が国際法違反であることは、第一章補足に見た通りです。とすれば、ウクライナ侵攻は、ロシア自身の憲法にも違反していると言わざるを得ません。

このように、ロシアの憲法にも、日本国憲法9条と同様に、侵略を禁じる条文はあるのです。しかし、ロシアで、今回の事態を防げませんでした。では、ロシアの憲法システムのどこが悪かったのでしょうか。

ロシア国内では、デモなどで反戦の声を上げると、厳しい罰を受けると報道されています。また、ウクライナの惨状や国際社会からの非難の内容などを報道することも規制され、国民は権力により歪められた情報しか得ることができないようです。また、独立した国会や裁判所などによって大統領の行動を抑制する権力分立も機能していなさそうです。

このように考えると、今回、ロシア憲法に足りなかったものは、十分な表現の自由・報道の自由の保障、定期的に行われる自由な選挙、議会による大統領に対する抑制、そうした諸々の憲法上のルールを保障する裁判所の独立などでしょう。これらは、いずれも立憲主義的な憲法の標準的な内容です。

ロシアの憲法を読むと、条文には、表現の自由や権力分立が定められています。しかし、それが空文化してしまっているのです。とすれば、今回、ロシアの憲法システムに足りていないのは、憲法9条のような侵略戦争を防ぐ規定ではありません。立憲主義的な憲法の標準的な内容を実現するためには、ただ条文があるだけではなく、国家機関が立憲主義の価値を自覚して実践すること、国家権力がそれを実践しているかを監視し、守らせる国民の力が必要です。平和を維持するために必要なのは憲法9条だけではなく、それを実現しようとする国家権力の自覚と、国民の意思なのです。

第三章　政府の憲法9条解釈

政府や裁判所が行う憲法9条についての解釈や説明は、第一章に見た国際法の基本的な考え方が分かっていないとなかなか理解しにくいものです。また、第二章の検討の結果、憲法9条には、芦田修正説と武力行使一般禁止説という二つの読み方があり、国会や内閣の規定との関係で、前者は憲法全体の体系を踏まえると無理が出てくることが分かりました。

以上を踏まえて、政府が、憲法9条をどのように解釈しているのかを検討して行きましょう。

1　政府解釈の基本的論理：武力行使一般禁止説と憲法13条を根拠とする「例外」

日本国憲法の制定以来、政府は様々な場面で憲法解釈を示してきました。その歴史を詳細に紹介するには、それだけで分厚い本が一冊できることでしょう。今回は、2014年7月1日の閣議決定（以下、2014・7・1閣議決定）を素材に、これまでの政府解釈を整理しましょう。

2014・7・1閣議決定は、それまでの政府解釈では認められていなかった集団的自衛権の行使を限定的に容認した閣議決定として有名です。集団的自衛権の行使を容認した点は、歴史的な事件でしたが、他方で、憲法9条の解釈について、それまでの政府解釈の基本的論理を整理し、それを安倍内閣としても引き継ぐことを宣言しています。

集団的自衛権の行使容認問題は後で確認することにして、政府が、憲法9条をどのように解釈してきたかを見てみましょう。

この閣議決定は、次のように述べています。

【政府の憲法9条解釈】

憲法第9条はその文言からすると、①国際関係における「武力の行使」を一切禁じているように見えるが、憲法前文で確認している②「国民の平和的生存権」や憲法第13条が「生命、自由及び幸福追求に対する国民の権利」は国政の上で最大の尊重を必要とする旨定めている趣旨を踏まえて考えると、憲法第9条が、我が国が自国の平和と安全を維持し、その存立を全うするために必要な自衛の措置を採ることを禁じているとは到底解されない。一方、この自衛の措置は、あくまで外国の武力攻撃によって国民の生命、自由及び幸福追求の権利が根底から覆されるという急迫、不正の事態に対処し、国民のこれらの権利を守るためのやむを得ない措置として初めて容認されるものであり、そのための必要最小限度の「武力の行使」は許容される。これが、③憲法第9条の下で例外的に許容される「武力の行使」について、従来から政府が一貫して表明してきた見解の根幹、いわば基本的な論理であり、昭和47年10月14日に参議院決算委員会に対し政府から提出された資料「集団的自衛権と憲法との関係」に明確に示されているところである。

この基本的な論理は、憲法第9条の下では今後とも維持されなければならない。

（2014年7月1日閣議決定「国の存立を全うし、国民を守るための切れ目のない安全保障法制の整備について」より。丸数字、傍線は筆者による）

この文章のポイントは三つあります。第一のポイントは、①憲法9条の文言は、安保理決議や自衛権に根拠づけられる場合も含め、武力行使を「一切禁じているように見える」としている点です。憲法9条については、芦田修正説と武力行使一般禁止説の二つの解釈がありました。何気ない記述のようで、読み飛ばしてしまいそうですが、この①の箇所は、芦田修正説を否定し、武力行使一般禁止説を採用することを明言しているわけです。

しかし、憲法9条が一切の武力行使を禁止しているということになったら、自衛隊の存在や個別的自衛権の行使も違憲になってしまいます。そこで、政府は、第二のポイントとして、②国民の平和的生存権を宣言した前文とともに憲法13条を引用します。

憲法13条には、次のように書かれています。

【日本国憲法第13条】
すべて国民は、個人として尊重される。生命、自由及び幸福追求に対する国民の権利については、公共の福祉に反しない限り、立法その他の国政の上で、最大の尊重を必要とする。

この規定は、国民の生命や自由への権利を最大限尊重することを政府に求めています。テロリストや強盗などの犯罪から国民を保護することは、国家の最も基本的で重要な役割です。もっとも、加害者がテロリストや強盗などの私的団体あるいは個人であれ、侵略してきた外国政府であれ、国民の生命・自由が蹂躙《じゅうりん》されるという点では、何ら変わりません。テロリストや強盗による被害からは国民を保護するけれども、外国軍の侵略は放置するというのは、あまりにもアンバランスで非常識でしょう。外国からの武力攻撃に対して、それを排除するための必要最小限度の武力行使を行うことは、国家が国民の生命・自由等を最大限尊重する義務（憲法13条）を果たすための行為として理解することができます。

自衛隊をめぐる議論を見ていると、9条ばかりに目が行きがちですが、憲法はもっと広い視野で論ずる必要があります。「武力行使するな」という9条の要請と、「国民の生命や自由を保護せよ」という13条の要請は、緊張関係にあります。もしも、外国からの侵略にもかかわらず、日本政府による武力行使を一切認めなければ、国民の権利は著しく侵害されるでしょう。

そこで、政府は、「我が国が自国の平和と安全を維持し、その存立を全うするために必要な自衛の措置」は、憲法第9条の下で③「例外的に許容される」武力行使と位置付けられると理解しました。外国からの侵略があった場合に、自衛のために武力行使を行うことを「例外的」なものと位置付けるのが第三のポイントです。

つまり、政府の基本的な論理とは、憲法9条を武力行使一般禁止説で読み、その上で、憲法13条を根拠にその「例外」を認めるというものです。そして、憲法13条は、あくまで国民の生命や自由を保護するように日本政府に求めるものであって、「外国を防衛せよ」と規定するものではありません。このため、日本への武力攻撃がないにもかかわらず、外国を防衛するために武力行使することは、9条の原則通り許されません。2014・7・1閣議決定と2015年安保法制は、この点を微妙に修正しましたが、日本の防衛に直接関係のない武力行使はできないという基本的論理は、安倍内閣の下でも維持されていることになっています。

2015年安保法制については第六章で詳しく論じるのでひとまず措いておくとして、「憲法9条の下でも、国民の生命等を守るために必要最小限度の実力を持つことは許される」との政府解釈には、かなりの説得力があると言えるでしょう。

2 自衛隊と「軍」・「戦力」の概念

このように理解する場合、自衛隊のような防衛のための必要最小限度の実力組織を保有することと、憲法9条2項の「戦力」不保持との関係について、二つの説明の仕方があります。

第一は、自衛隊は「戦力」だけど、13条を根拠に9条の例外として認められた存在だとする説明。第二は、13条の趣旨と調和するように9条を読み、保有の禁じられた「軍」・「戦力」とは、「自衛のための必要最小限度を超える実力」を言うのであり、自衛隊はそれにあたらないから9条2項にも違反しないという説明。

第一の説明は、とてもすっきりとします。しかし、正面から「戦力」を持って良いと断言してしまうと、自衛には過大な実力を保有しそうになった時に、歯止めをかけられなくなってしまうかもしれません。そこで、政府は、第二の説明を採用し、自衛隊は、憲法9条2項に言う「軍」・「戦力」ではない、と説明してきました。

こうした政府解釈に対しては、文言の理解として不自然あるいは欺瞞《ぎまん》だと非難する人もいます。確かに、なんの根拠もなしに、「自衛隊は軍や戦力ではない」と言っているなら、そうした非難を受けるのも当然かもしれません。しかし、政府は、9条2項の文言だけを見て、いきなりそのような説明をしているわけではありません。憲法13条との関係を踏まえた上で、両者を調和させる解釈を採用しているのです。

法律論に親しんでいない方は、こうした解釈論に違和感を持つかもしれません。しかし、他の条文との関係で、ある条文の概念を縮小して解釈することは、法学の世界ではよくあることです。例えば、歯医者さんが歯を削る行為は、人の身体を傷つける行為なので、

「傷害」罪にあたります（刑法204条）。しかし、治療行為を罰せられては、歯医者さんも患者さんもたまりませんから、刑法35条は「正当業務行為」の場合には刑罰を科さないと規定しています。治療行為が罰せられない理由についても、二つの説明があります。第一は、治療行為は「傷害」だけれども、違法性が阻却されるので無罪になるという説明。第二は、そもそも治療行為は、病気やケガを治すためのものだから、「傷害」行為にはあたらないとして、「傷害」行為に治療行為を含まないと解釈する説明。一般には第一の説明が採られますが、第二の説明を採る学説もあるようです。政府の自衛隊は「軍」・「戦力」ではないという説明は、治療行為は「傷害」ではない、という説明とよく似ています。

3 自衛隊の組織上の位置づけ

では、自衛隊は「軍隊」でないとしたら、何なのでしょうか。

政府は、自衛のための武力行使等の防衛作用は、行政権に含まれると説明してきました。例えば、参議院内閣委員会1986年（昭和61年）5月20日の加藤紘一防衛庁長官答弁では、「国の防衛に関する事務は、一般行政事務として内閣に属」すると説明しています。この説明は、2015年安保法制の審議での安倍内閣の答弁でも踏襲されており、参議院安保特別委員会２０１５年（平成27年）８月5日の中谷元防衛大臣答弁でも、「防衛出動などの承認を行うということ、国の防衛に関する事務、これは一般行政事務といたしまして内閣の行政権に完全に属」する、としています。

日本の領域内で不法侵入や殺人・放火・器物損壊などの犯罪を取り締まったり、犯罪予防のために警備を行ったりするのは、当然、「行政」です。そして、外国による武力攻撃も、大規模とはいえ、殺人・放火・器物損壊といった犯罪・不法行為であることに変わりありません。このため、それに対応する作用も「行政」の一種と言えるでしょう。

また、日本へのミサイル攻撃を防ぐために、侵略国のミサイル基地を破壊したり、公海上で戦闘機や軍艦を攻撃したりする以外に方法がない場合もあるかもしれません。領域内にいる人々の生命・自由・幸福追求の権利を守ることは、国内支配作用の重要な責務ですから、人々を守るために他に手段がない場合に攻撃拠点を破壊することは、ぎりぎり「行政」に含まれると説明することもできそうです。

このような解釈を前提にすると、自衛隊は「行政」のための組織の一つということになります。そして、憲法65条は「行政権は、内閣に属する」と規定していますから、自衛隊は、財務省や文部科学省などと同様に、内閣の意思に服することになります。さらに、憲法72条は、「内閣総理大臣は、内閣を代表して議案を国会に提出し、一般国務及び外交関係について国会に報告し、並びに行政各部を指揮監督する」と規定しています。自衛隊も、この条文に言う「行政各部」に含まれますから、その指揮監督権は首相の権限です。しばしば、「首相は自衛隊の最高司令官だ」と言われますが、これは、今見た憲法72条の内容を言っているわけです。

このように、自衛隊は、憲法9条2項が禁止する「軍隊」ではなく、憲法72条が規定する「行政各部」だと位置づけられます。しばしば、「憲法には、自衛隊のことは書いていない」と言われますが、それは誤りです。「自衛隊は、憲法72条に規定された『行政各部』に含まれる」というのが正しい説明です。

また、自衛隊が海外で行う活動は、外交協力としてなされています。つまり、自衛隊が派遣される場合には、派遣先の国の同意を前提に、治安維持やインフラ整備などの行政活動を手伝っているという建前です。政情が不安定で危険なこともあるため、武器等も携帯していますが、特別な技能を持った行政官として、外国の行政活動を手伝っているという説明になります。

4　憲法9条と国際法の関係

このように、政府は憲法9条や13条を解釈した結果、「日本への武力攻撃があった場合に、防衛のために必要最低限度の武力行使は例外的に許容される」との立場をとっています。この解釈は、あくまで日本国憲法の解釈です。これを国際法の観点から見るとどうなるのでしょうか。

自国が武力攻撃を受けた場合に防衛のために行われる武力行使は、国際法上は個別的自衛権として正当化されます。このため、「憲法上、個別的自衛権の行使は許容される」と言われます。

他方、日本への武力攻撃がなければ、安保理決議や外国への武力攻撃があったとしても、武力行使はできません（2015年安保法制以降は、日本への武力攻撃がなくても「存立危機事態」にあたれば武力行使できるとされています。この点は第六章参照）。日本は主権国家として、国際法上は集団的自衛権の行使を認められていますが、憲法によってその行使を禁じているわけです。このことは、しばしば「日本は、集団的自衛権を持っているが、行使できない」と表現されます。

この点について、「『持っているけど行使できない』のはおかしい」という人もいます。しかし、この表現の前段と後段では主語が違います。つまり、国際法に基づき、「日本国」は集団的自衛権を持っています。しかし、日本国憲法は、「日本政府」がそれを行使することを禁じているのです。日本国憲法とは、日本国の主権者である国民の意思です。政府は、主権者の意思である憲法に違反するような権限行使はできません。「国際法上、日本国は集団的自衛権を持っているけれど、日本国憲法により、日本政府は集団的自衛権を行使できない」ということです。

また、国際法的に見れば、自衛隊は軍隊であるのは明らかで、自衛隊は憲法9条にいう「軍」ではないとの説明は不適切だという人もいます。確かに、国際法には、「軍隊」に該当する組織についての様々なルールがあります。自衛隊の活動の中には、国際法上の「軍隊」にあたる組織として行うものもあり、その場合に、国際法による規律を受けるのは当然のことです。

しかし、法学的には、「国際法と日本の憲法とで、同じ言葉は必ず同じ意味で使わなくてはならない」というルールはありません。法体系ごとに、言葉の意味が違うのはよくあることです。例えば、日本国憲法の「逮捕」(憲法33条)とは「身柄拘束への着手」を意味しますが、刑事訴訟法の「逮捕」とは、「身柄拘束への着手とそれに引きつづく短期間の身柄拘束の継続」を意味します。民法と刑法では「違法」という言葉の意味が違うので、刑事法で「違法性がない」とされた行為が、民事法で「違法性がある」とされることも珍しくありません。

国際法と日本国憲法とで「軍」の意味が異なったとしても、特におかしいことではないのです。

5 — 吉田首相の解釈

日本国憲法の下では、原則として武力行使は禁止されるが、日本への武力攻撃があった場合に自衛のための武力行使をすることは許される。こうした政府の解釈は、戦後一貫してきました。だからこそ、安倍内閣が集団的自衛権の行使を限定的に容認したことに批判が集中したのです。

ただ、この点について、「政府は、もともとは、日本への武力攻撃があった場合（個別的自衛権の行使の場合）も含め、あらゆる武力行使が禁じられると解釈していた。しかし、それを拡大解釈して、個別的自衛権を認めるようになったのだ。拡大解釈なんてずっとしてきたのだから、安保法制で拡大解釈したからといって、ことさらに批判するのはおかしい」と主張する人もいます。

こう主張する人は、しばしば、吉田茂首相の第90回帝国議会での答弁を引用します。第90回帝国議会は、1946年（昭和21年）に開催された、日本国憲法の原案となる大日本帝国憲法の全面改正案を審議した議会です。そこで、時の吉田首相は、憲法草案について次のように説明しています。

【第90回帝国議会　昭和21年6月26日衆議院本会議　吉田茂首相答弁】

次に自衛権に付ての御尋ねであります、戦争抛棄に關する本案の規定は、直接には自衛権を否定はして居りませぬが、第九條第二項に於て一切の軍備と國の交戦權を認めない結果、自衛權の發動としての戰争も、又交戰權も抛棄したものであります、従來近年の戰争は多く自衛權の名に於て戰はれたのであります、滿洲事變然り、大東亜戰争亦然りであります、今日我が國に對する疑惑は、日本は好戰國である、何時再軍備をなして復讐戰をして世界の平和を脅かさないとも分らないと云ふことが、日本に對する大なる疑惑であり、又誤解であります、先づ此の誤解を正すことが今日我々としてなすべき第一のことであると思ふのであります、又此の疑惑は誤解であるとは申しながら、全然根底のない疑惑とも言はれない節が、既往の歴史を考へて見ますると、多々あるのであります、故に我が國に於ては如何なる名義を以てしても交戰權は先づ第一自ら進んで抛棄する、抛棄することに依つて全世界の平和の確立の基礎を成す、全世界の平和愛好國の先頭に立つて、世界の平和確立に貢獻する決意を先づ此の憲法に於て表明したいと思ふのであります（拍手）之に依つて我が國に對する正當なる諒解を進むべきものであると考へるのであります、平和國際團體が確立せられたる場合に、若し侵略戰爭を始むる者、侵略の意思を以て日本を侵す者があれば、是は平和に對する冒犯者であります、全世界の敵であると言ふべきであります、世界の平和愛好國は相倚り相携へて此の冒犯者、此の敵を克服すべきものであるのでありま す（拍手）ここに平和に對する國際的義務が平和愛好國若しくは國際團體の間に自然生ずるものと考へます（拍手）

確かに吉田首相は、「自衛権の發動としての戰爭も、又交戰權も抛棄したものでありま す」と述べています。ただ、ここで放棄したと言っているのは、「自衛権の行使」ではなく、自衛を名目にした「戰争」です。第一章1で説明したように、法律用語としての「戦争」は、自国に対する武力攻撃がない場合に、宣戦布告をして武力行使を始める行為を意味するのが一般的です。そうした意味での「戦争」は、現代の国際法では違法です。当然のことながら、現在の安倍政権を含め、後の政府解釈でも、一切禁止されています。

吉田首相の答弁を注意深く読むと、吉田首相が「近年の」「自衛權の名に於て戰はれた」「戰爭」の例として挙げるのは、「滿洲事變」や「大東亜戰爭」といった自衛を名目にした大日本帝国の侵略行為です。ナチスドイツの侵略に対するフランスの抵抗や、ロンドン空爆に対するイギリス空軍の自衛措置ではありません。吉田首相が、「日本国憲法の下では個別的自衛権の行使まで放棄した」と述べているわけではないことが、よくわかるでしょう。

吉田首相は、この二日後にも次のように答弁しています。

【第90回帝国議会　昭和21年6月28日　衆議院本会議　吉田茂首相答弁】

又戰爭抛棄に關する憲法草案の條項に於きまして、國家正當防衞權に依る戰爭は正當なりとせらるるやうであるが、私は斯くの如きことを認むることが有害であると思ふのでありますます（拍手）近年の戰爭は多くは國家防衞權の名に於て行はれたることは顯著なる事實でありますます、故に正當防衞權を認むることが偶偶戰爭を誘發する所以であると思ふのでありますます、又交戰權抛棄に關する草案の條項の期する所は、國際平和團體の樹立にあるのであります、國際平和團體の樹立に依つて、凡ゆる侵略を目的とする戰爭を防止しようとするのであります、併しながら正當防衞に依る戰爭が若しありとするならば、其の前提に於て侵略を目的とする戰爭を目的とした國があることを前提としなければならぬのであります、故に正當防衛、國家の防衛權に依る戰爭を認むると云ふことは、偶々戰爭を誘發する有害な考へであるのみならず、若し平和團體が、國際團體が樹立された場合に於きましては、正當防衛權を認むると云ふことそれ自身が有害であると思ふのであります、御意見の如きは有害無益の議論と私は考へます（拍手）

この答弁も、放棄されるのはあくまで「戰爭」であり、「個別的自衛権の行使」や「日本への武力攻撃の着手があった場合の自衛措置」を放棄するとは言っていません。そして、憲法制定後の１９５１年（昭和26年）、吉田首相は、第90回帝国議会での答弁について次のように説明します。

【昭和26年10月18日　衆議院　平和条約及び日米安全保障条約特別委員会　吉田茂首相答弁】
私の当時言つたと記憶しているのでは、しばしば自衛権の名前でもつて戦争が行われたということは申したと思いますが、自衛権を否認したというような非常識なことはないと思います。

もちろん、吉田茂首相の説明は、２０１４・７・１閣議決定のように明確なものではありません。しかし、少なくとも、「日本国憲法の下では個別的自衛権の行使も許されない」と述べたものでないことは確かでしょう。

第三章補足

憲法9条と敵基地攻撃能力（反撃能力）

２０２２年（令和４年）４月27日、自民党の安全保障調査会は、岸田文雄首相に対し、敵基地攻撃能力を「反撃能力」と呼び変えた上で、保有すべきことを提案しました。この敵基地攻撃能力とは何でしょうか。

まず、憲法9条を最も厳しく読み、「あらゆる外国への武力行使が禁じられる」と理解したとしても、国内での警察・治安維持活動は禁止されません。外国軍が日本に上陸して武力行使を始めた場合、それが殺人（刑法１９９条）や傷害（刑法２０４条）、放火（刑法１０８条以下）などの犯罪となるのは言うまでもありません。そうした犯罪に対し、日本政府の組織が正当防衛や治安維持のため実力を行使しても、憲法9条には違反しません。このように、憲法9条を最も厳しく解釈しても、自衛隊の主たる任務の大部分の合憲性は説明できるのです。自衛隊の前身が「警察予備隊」なのも、このような理論が背景にあるからです。

ただし、武力攻撃から日本を防衛するには、日本国の領土・領海・領空の範囲内での活動で完結できるとは限りません。また、中世のように弓矢で武装した騎馬隊や射程の短い大砲をのせた艦船しかないような時代ならともかく、現代では、大規模な航空部隊やミサイル兵器、ドローン兵器などが存在します。そうした兵器から防衛するには、国内で迎撃したり、撃ち落としたりするだけでなく、加害国の領域内にある基地やミサイル発射台、領海内にある空母などへの反撃をせざるを得ない場合が出てくるでしょう。

このような日本の領域外にある敵基地などに、防衛のために武力を行使することを「敵基地攻撃」・「策源地攻撃」・「反撃」などと言います。攻撃の根拠地は、必ずしも「基地」とは限らず、移動できる発射台や船である場合もあります。そこで自民党安全保障調査会は、「反撃能力」という言葉を使うのが妥当としたわけです。

では、そうした日本の領域外での武力行使はできるのでしょうか。

これについて、政府は、1956年（昭和31年）2月29日の衆議院内閣委員会にて、「わが国に対して急迫不正の侵害が行われ、その侵害の手段としてわが国土に対し、誘導弾等による攻撃が行われた場合、座して自滅を待つべしというのが憲法の趣旨とするところだというふうには、どうしても考えられないと思うのです。そういう場合には、そのような攻撃を防ぐのに万やむを得ない必要最小限度の措置をとること、たとえば誘導弾等による攻撃を防御するのに、他に手段がないと認められる限り、誘導弾等の基地をたたくことは、法理的には自衛の範囲に含まれ、可能である」と答弁しています（鳩山一郎首相答弁・船田防衛庁長官代読）。

このように、政府は、日本への武力攻撃を止めさせるために、それ以外の手段がない場合には、防衛行政の範囲内として、敵基地への攻撃も憲法違反にはならないと理解してきました。他方で政府は、法理的には禁止されないものの、敵基地攻撃能力（反撃能力）は持たないという政策を採用してきました。どうしても敵基地などへの反撃が必要になる場合には、日米安保条約に基づき米軍に攻撃的な任務を依頼できるのだから、自ら敵基地などへの攻撃能力を持つことは不要であるとの政策判断をしてきたのです。

自民党安全保障調査会の提言は、ここから一歩踏み出し、反撃能力を保有すべきとしました。確かに、政府の伝統的な解釈を前提にする限り、反撃能力を持つことが全て憲法違反というわけではありません。しかし、この点は、極めて慎重な議論が必要です。

まず、政府解釈を前提とするとしても、憲法が認める反撃能力は、日本の自衛のために必要最小限度の範囲のみです。その範囲を超えていないかは、個別に十分な検討が必要です。

また、反撃能力の保有となると、長い射程を持ったミサイルや、長距離を飛行できる爆撃機を保有したりすることになります。これらは侵略や先制攻撃にも使える兵器ですから、それらを新たに保有するということになれば、周辺国との緊張が高まるおそれがあります。場合によっては、新たな武力の保有は、外国から「自衛」を名目にした侵略を招く危険もあります。防衛力を強化するにしても、周辺国との信頼や友好関係を醸成しながら進める必要があるでしょう。

第四章　裁判所の憲法9条解釈

では、第三章で見た政府の憲法9条解釈は、裁判所では、どのように評価されてきたのでしょうか。次にこの点を検討しましょう。

1 ― 司法権と法解釈

検討の前提として、「法解釈」とはどのような営みなのかを確認しましょう。

日本国憲法や民法、刑法等、文章の形で規定された法のことを「成文法」と呼びます。成文法は、たいていの場合、条文を読めば、何が合憲・適法で、何が違憲・違法かが分かります。例えば、憲法46条は「参議院議員の任期は、六年とし、三年ごとに議員の半数を改選する」と定めています。これを読んだ人の間で、参議院の任期が何年かについて意見が分かれることはないでしょう。あるいは、消費税法は「10％」の消費税を支払うように規定しますが、「100円のジュースにかかる消費税がいくらか？」でお店の人とお客さんで意見が分かれることはまずないでしょう。

しかし、条文がその場面で何を要求しているのかについて、意見が分かれることもあります。例えば、幼稚園のお遊戯会のお知らせに「カエルの扮装をするので、『緑色の服』を着てきてください」と書いてあったとします。この時、赤い服を着たらアウトなのは、誰から見ても明らかでしょう。では、黄緑の服だったらどうでしょうか。黄緑は、「緑の一種」という理解もできそうですし、「緑とは違う」という理解もできそうです。このとき、どちらの理解が正しいかを考えるのが解釈です。条文の理解が人によって分かれる場合に、「これが正しい解釈だ」と決定するのは、「司法」の役割です。日本国憲法は、裁判所に司法権を与えています（憲法76条1項）。また、法律や政令が憲法に適合するかどうかを審査する違憲立法審査権も与えています（同81条）。そして、司法と違憲立法審査についての最終的な決定を行うのが最高裁判所です。

もちろん、国会や政府も、自分たちなりの憲法や法律の解釈を示します。先ほど紹介した政府の9条解釈も、まさにその一つです。しかし、裁判官は、国会や政府から「独立」

して職責を果たす存在であり（同76条3項）、国会や政府の解釈に拘束されません。このため、国会や政府の解釈が裁判で覆されることもあります。国会や政府の憲法・法律の解釈は、いわば「仮の」・「一応の」もので、「この解釈なら裁判所も認めてくれるはずだ」という裁判所の判決の予想を示したものと考えればよいでしょう。

2　自衛隊の合憲性に関する最高裁判決

では、最高裁判所は、「日本に武力攻撃があった場合に、自衛のための実力を行使することは合憲だ」という政府解釈をどう評価しているのでしょうか。実は、地方裁判所のレベルでは自衛隊の合憲性を判断した判決もあるのですが、最高裁が、この問題を判断したことはありません。三つほど代表的な裁判を見てみましょう。

⑴　恵庭《えにわ》事件

自衛隊の合憲性についての判断が注目された最初の裁判が、恵庭事件です。

１９６２年（昭和37年）、北海道千歳郡恵庭町（当時）の自衛隊演習場の近くに住んでいた酪農家が、自衛隊演習場の電話用通信線をペンチで切断したとして、起訴されました。

酪農家は、演習場の轟音で乳牛が体調を崩し、牛乳の生産量が下がったことに腹を立てて、通信線を切断したとのことです。

この事件で、検察側は、酪農家の行為が「防衛の用に供する物」の損壊を罰する自衛隊法121条に触れると主張しました。これに対し、被告人である酪農家は、自衛隊法は憲法9条違反で無効だから、無罪だと主張しました。世間は、自衛隊法の合憲性について裁判所がどんな判断を示すかと注目しました。

しかし、札幌地裁が示した判断（札幌地裁判決昭和42年3月29日判例時報476号25頁）は、肩透かしでした。自衛隊法121条は「武器、弾薬、航空機」などを「防衛の用に供する物」として例示しており、通信線は、それらに類似するものとは言えないから「防衛の用に供する物」とは言えないとして、無罪判決を出したのです。検察側が控訴・上告をしなかったため、この事件では裁判所が自衛隊の合憲性を判断しないまま終わりました。

(2) 長沼ナイキ訴訟

その後、自衛隊について争われた重要な訴訟が、長沼ナイキ訴訟です。1969年（昭和44年）、北海道夕張郡長沼町にナイキミサイル（アメリカ製地対空ミサイル）を配備する自衛隊基地を設置するため、保安林の指定を解除する処分がなされました。これに対し、森林の周辺住民が、自衛隊は違憲であり、その基地を設置するためになされた保安林指定の解除処分も違法だとして、指定解除処分の取消を求めて訴えたのです。

この訴訟の第一審は、次のように述べました。

【長沼ナイキ訴訟第一審判決（札幌地方裁判所判決昭和48年9月7日民集36巻9号1791頁）】
自衛隊の編成、規模、装備、能力からすると、自衛隊は明らかに「外敵に対する実力的な戦闘行動を目的とする人的、物的手段としての組織体」と認められるので、軍隊であり、それゆえに陸、海、空各自衛隊は、憲法第九条第二項によってその保持を禁ぜられている「陸海空軍」という「戦力」に該当するものといわなければならない。そしてこのような各自衛隊の組織、編成、装備、行動などを規定している防衛庁設置法（昭和二九年六月九日法律第一六四号）、自衛隊法（同年同月同日法律第一六五号）その他これに関連する法規は、いずれも同様に、憲法の右条項に違反し、憲法第九八条によりその効力を有しえないものである。

このように札幌地裁は、自衛隊違憲説を採用しました。しかし、控訴を受けた札幌高裁判決（札幌高裁判決昭和51年8月5日民集36巻9号1890頁）は、住民たちの訴えは訴訟法上適法とは言えないとして、自衛隊の合憲性について判断することなく、門前払いします。住民からの上告を受けた最高裁も、1982年の判決（最高裁第一小法廷判決昭和57年9月9日民集36巻9号1679頁）で、訴訟自体が適法ではないとして、上告を棄却しました。

（3）百里基地訴訟

百里基地訴訟でも、自衛隊の合憲性が問題となりました。この事件は、次のような事案です。1958年（昭和33年）当時、茨城県の百里原地区に、自衛隊の航空基地の建設計画が進められていました。反対派住民は、基地建設を止めるために、基地建設予定地を所有者から買い取ります。しかし、代金の支払いをめぐるトラブルが起き、その間に、所有者は国に土地を売り渡してしまいました。反対派住民は、自衛隊は憲法違反であり、その基地設置のための土地購入契約は無効だと主張して、裁判を起こしました。

第一審は、次のように述べ、自衛隊が一見明白に違憲とは言えないとしました。

【百里基地訴訟第一審判決（水戸地裁判決昭和52年2月17日民集43巻6号506頁）】
昭和三三年当時における自衛隊の目的、組織、編成、装備さらには性格を含め、その実態が、憲法第九条第二項にいう「戦力」、すなわち侵略的戦争遂行能力を有する人的、物的組織体に該当することが、一見して明白であるということはできないのみならず、当裁判所において取調べた一切の証拠によるも極めて明白であると断ずることはできない。

長沼ナイキ訴訟とは異なり、一審は、原告の訴えを門前払いにすることなく、自衛隊は合憲との判断を示しました。しかし、控訴を受けた東京高裁（東京高裁判決昭和56年7月7日民集43巻6号590頁）と、上告を受けた最高裁（最高裁第三小法廷判決平成元年6月20日民集43巻6号385頁）は、自衛隊の合憲性に関する判断を回避しました。自衛隊の合憲性と土地売買の有効性は別次元の問題で、仮に自衛隊が違憲でも、土地売買が無効になるわけではないとして、自衛隊の合憲性の判断をすることなく、判決を出したのです。

日本の違憲立法審査は、「付随的審査制」と言われる制度です。この制度の下では、裁判所は、違憲と疑われる法令が制定されただけでは憲法判断を示しません。その法令が適用され、不利益を受けたと主張する原告が現れて初めて、法令の合憲性を審査します。

幸いにして、日本国憲法下では、日本が他の国から武力攻撃を受けたことはなく、自衛隊が防衛出動したことは一度もありません。今紹介した三つの事件も、自衛隊が武力行使した事案ではなく、自衛隊の合憲性が主要な争点となったものではありませんでした。このため、最高裁も、自衛隊や個別的自衛権行使の合憲性について、一度も判断することとなく今日に至っているわけです。

3　日米安保条約と砂川判決

このように、最高裁判所は、自衛隊の合憲性について判断したことはありません。これに対し、日米安保条約については、最高裁判例があります。

日米安保条約は、1952年4月28日、サンフランシスコ講和条約締結と同時に、アメリカとの間で結ばれました。米国が日本の安全保障に協力することと引き換えに、日本の領土に米軍基地を置くことを認める内容になっています。この条約に対しては、日本国内に米軍基地を設置することは、9条2項で禁止された「戦力」の保有にあたるとする違憲論がありました。

1957年、東京都北多摩郡砂川町（当時）で、米軍立川基地の拡張に反対する市民が、基地敷地内に侵入し、米軍基地への侵入を罰する刑事特別法違反の罪で起訴されました。これが砂川事件です。

第一審判決（東京地裁判決昭和34年3月30日刑集13巻13号3305頁）は、「安全保障条約及び行政協定の存続する限り、わが国が合衆国に対しその軍隊を駐留させ、これに必要なる基地を提供しまたその施設等の平穏を保護しなければならない国際法上の義務を負担することは当然であるとしても、前記のように合衆国軍隊の駐留が憲法第九条第二項前段に違反し許すべからざるものである」として、刑事特別法を違憲無効とし、無罪としました。

これに対し、検察側の跳躍上告を受けた最高裁は、次のように述べます。

【砂川事件上告審判決（最高裁大法廷判決昭和34年12月16日刑集13巻13号3225頁）】

……憲法九条の趣旨に即して同条二項の法意を考えてみるに、同条項において戦力の不保持を規定したのは、わが国がいわゆる戦力を保持し、自らその主体となつてこれに指揮権、管理権を行使することにより、同条一項において永久に放棄することを定めたいわゆる侵略戦争を引き起こすがごときことのないようにするためであると解するを相当とする。従つて同条二項がいわゆる自衛のための戦力の保持をも禁じたものであるか否かは別として、同条項がその保持を禁止した戦力とは、わが国がその主体となつてこれに指揮権、管理権を行使し得る戦力をいうものであり、結局わが国自体の戦力を指し、外国の軍隊は、たとえそれがわが国に駐留するとしても、ここにいう戦力には該当しないと解すべきである。

最高裁は、米軍は日本国の指揮・管理に服するものではないから、国内にその基地を設置しても、日本が「軍」・「戦力」を保有したことにはならない、という理論をとりました。そして、「アメリカ合衆国軍隊の駐留は、憲法九条、九八条二項および前文の趣旨に適合こそすれ、これらの条章に反して違憲無効であることが一見極めて明白であるとは到底認められない」と結論づけます。この砂川事件の最高裁判決のことを、一般に「砂川判決」と呼びます。

砂川判決の翌年、1960年に日米安保条約は改定されますが、基本的な内容は維持されました。最近では、日米安保条約の合憲性について、政府の説明が求められることはほとんどなくなりましたが、それは、最高裁判決が出ているためです。仮に、それを問うたところで、「有権解釈者である最高裁判所が日米安保条約は合憲だと判断しました」と答えて終わりでしょう。

4―砂川判決が集団的自衛権の行使を容認？

ところで、2015年安保法制の審議の際、この砂川判決が、「最高裁判決も集団的自衛権の行使を容認している」として引用されました。これは、正しい読み方でしょうか。

砂川判決の判決文を確認してみましょう。

【砂川判決】

［憲法9条］は、同条にいわゆる戦争を放棄し、いわゆる戦力の保持を禁止しているのであるが、しかしもちろんこれによりわが国が主権国として持つ固有の自衛権は何ら否定されたものではなく、わが憲法の平和主義は決して無防備、無抵抗を定めたものではないのである。憲法前文にも明らかなように、われら日本国民は、平和を維持し、専制と隷従、圧迫と偏狭を地上から永遠に除去しようとつとめている国際社会において、名誉ある地位を占めることを願い、全世界の国民と共にひとしく恐怖と欠乏から免かれ、平和のうちに生存する権利を有することを確認するのである。しからば、わが国が、自国の平和と安全を維持しその存立を全うするために必要な自衛のための措置をとりうることは、国家固有の権能の行使として当然のことといわなければならない。（傍線部は筆者）

確かに、最高裁は、憲法9条の下でも「自衛のための措置」をとり得るとしますが、この「自衛のための措置」にどのようなものが含まれるのかは述べていません。

そもそも、この判決は、日米安保条約に基づく米軍駐留の合憲性を判断したもので、この論証に続けて「憲法九条は、わが国がその平和と安全を維持するために他国に安全保障を求めることを、何ら禁ずるものではない」と言っています。

他方、判決は、3に引用した箇所で「いわゆる自衛のための戦力の保持をも禁じたものであるか否かは別として」と述べ、日本自身が自衛のための実力や戦力を持つことができるかどうかの判断を留保しています。判決に付された奥野健一・高橋潔両裁判官の意見でも、「憲法九条が自衛のためのわが国自らの戦力の保持をも禁じた趣旨であるか否かの点は、上告趣意の直接論旨として争つているものとは認められないのみならず、本件事案の解決には必要でないと認められるから、この点についてはいまここで判断を示さない」と指摘されています。

つまり、砂川判決は、「憲法9条の下で許される『自衛のための措置』の中には『他国に安全保障を求めること』が含まれる」と言ったのみで、日本自身が武力を行使したり、自衛隊のような実力組織を設けたりすることの合憲性については何も述べていないのです。個別的自衛権行使の合憲性すら判断を留保しているのですから、砂川判決が集団的自衛権行使を認めているというのは明らかな誤りです。

5 最高裁判所と統治行為論

しばしば、最高裁判所は「統治行為論」を採るので、自衛隊や日米安保条約について司法判断を示さない、などと言われることがあります。これは本当でしょうか。

まず、「統治行為論」とは、法を適用して判断できることでも、強い政治的影響のある「高度に政治的な問題」については司法判断を避けるべきだとする理論です。日本の最高裁は、苫米地《とまべち》事件判決でこの理論を採ったと言われます。

1952年（昭和27年）の衆議院解散で衆議院議員の地位を失った苫米地義三《ぎぞう》氏が、この解散は違憲だとして、国に歳費を請求しました。原告の名前をとって「苫米地事件」と呼ばれます。最高裁判所（最高裁大法廷判決昭和35年6月8日民集14巻7号1206頁）は、次のように述べました。

【苫米地事件上告審判決】

しかし、わが憲法の三権分立の制度の下においても、司法権の行使についておのずからある限度の制約は免れないのであつて、あらゆる国家行為が無制限に司法審査の対象となるものと即断すべきでない。直接国家統治の基本に関する高度に政治性のある国家行為のごときはたとえそれが法律上の争訟となり、これに対する有効無効の判断が法律上可能である場合であつても、かかる国家行為は裁判所の審査権の外にあり、その判断は主権者たる国民に対して政治的責任を負うところの政府、国会等の政治部門の判断に委され、最終的には国民の政治判断に委ねられているものと解すべきである。この司法権に対する制約は、結局、三権分立の原理に由来し、当該国家行為の高度の政治性、裁判所の司法機関としての性格、裁判に必然的に随伴する手続上の制約等にかんがみ、特定の明文による規定はないけれども、司法権の憲法上の本質に内在する制約と理解すべきものである。

衆議院の解散は、衆議院議員をしてその意に反して資格を喪失せしめ、国家最高の機関たる国会の主要な一翼をなす衆議院の機能を一時的とは言え閉止するものであり、さらにこれにつづく総選挙を通じて、新な衆議院、さらに新な内閣成立の機縁を為すものであつて、その国法上の意義は重大であるのみならず、解散は、多くは内閣がその重要な政策、ひいては自己の存続に関して国民の総意を問わんとする場合に行われるものであつてその政治上の意義もまた極めて重大である。すなわち衆議院の解散は、極めて政治性の高い国家統治の基本に関する行為であつて、かくのごとき行為について、その法律上の有効無効を審査することは司法裁判所の権限の外にありと解すべきことは既に前段説示するところによつてあきらかである。そして、この理は、本件のごとく、当該衆議院の解散が訴訟の前提問題として主張されている場合においても同様であつて、ひとしく裁判所の審査権の外にありといわなければならない。（傍線部は筆者）

最高裁は、「高度に政治性のある国家行為」には司法権は及ばず、「衆議院の解散」はその一種だとしました。ここに言う「高度に政治性のある国家行為」が「統治行為」です。この判決を読むと、衆議院の解散について「統治行為論」を採用しているのは確かでしょう。しかし、憲法9条関連の問題では、裁判所は、必ずしもこの理論を使っていません。恵庭事件を判断した札幌地裁判決では通信線は「防衛の用に供する物」ではないと言って、自衛隊の合憲性についての判断には至りませんでした。長沼ナイキ事件では訴訟自体が不適法だとし、百里基地訴訟では自衛隊の合憲性は土地取引の有効性と無関係だとして、いずれも合憲性の判断を回避しています。つまり、自衛隊の合憲性に関わりそうな訴訟では、司法判断をするために自衛隊の合憲性を判断する必要がない、という形で判断を回避しているのであって、統治行為論をとっているわけではありません。

また、砂川判決は、日米安保条約は「高度の政治性を有する」行為であるため、「一見極めて明白に違憲無効であると認められない限りは、裁判所の司法審査権の範囲外のものであつて、それは第一次的には、右条約の締結権を有する内閣およびこれに対して承認権を有する国会の判断に従う」とします。これは、統治行為論をとったような印象を受けるかもしれません。しかし、よく読むと、「一見極めて明白に違憲無効」と言えるかどうかを判断すると言っているのです。違憲性は「あるか、ないか」のいずれかですから、「一見極めて明白に違憲」と「明白ではない違憲」との違いは、実際には区別できないでしょう。つまり、砂川判決は、統治行為論で日米安保条約の合憲性の判断を回避したわけではありません。むしろ、「日米安保条約は合憲だ」と態度を明確に示しているのです。

そうすると、「憲法9条に関する問題で、裁判所は統治行為論で判断を回避してきた」という言い方は正確ではありません。もちろん、今後、集団的自衛権行使の問題で統治行為論が使われる可能性もあるかもしれません。しかし、政府の側が、「裁判所はどうせ見逃してくれるだろう」と考えているとしたら、見通しが甘すぎます。

第四章補足

憲法9条と核兵器

　ロシアのウクライナ侵攻を受けて、日本国内でも、核兵器の「保有」や「共有」の議論が聞かれました。核兵器とは、核分裂・核融合など原子核反応から生じる膨大なエネルギーを破壊・殺傷のために用いる兵器です。核兵器は人類が生み出した兵器の中で最大の破壊力を持っており、人類全体を破滅させかねない兵器として最大級の警戒の対象とされてきました。1945年（昭和20年）には、広島・長崎に原子爆弾が投下され、筆舌に尽くしがたい被害が生じました。

　日本は被爆体験を踏まえ、核兵器について「持たず、作らず、持ち込ませず」の非核三原則と呼ばれる防衛政策を採用してきました。この原則は、1967年（昭和42年）12月11日の衆議院予算委員会で佐藤栄作首相が表明したもので、それ以来、日本の防衛政策の要の一つとなってきました。

　では、憲法9条と核兵器、あるいは非核三原則はどのような関係に立つのでしょうか。政府解釈によれば、憲法9条は自衛のための必要最小限度の実力を超える戦力を持つことを禁じた規定です。この解釈では、「必要最小限度の実力」の範囲は、国際的な状況によって変わり得ます。例えば、「国際社会の努力によって、戦争が全く想定できず、核兵器はもちろんあらゆる兵器が廃絶された」という状況が実現すれば、竹やりや水鉄砲ですら、兵器として保有することは違憲となるでしょう。他方、「核戦争が頻発して、その保有以外に自衛手段がない」という悲惨な国際状況になれば、核兵器も「必要最小限度の実力」に含まれる可能性があります。その意味で、核兵器の保有はどんな状況でも憲法上一切許されないというわけではなく、合憲・違憲は国際状況との兼ね合いで決まるということになります。

ただ、アメリカと安全保障条約を締結しており、核による威嚇や核兵器の行使が頻発しているわけでもない今の状況で、核兵器の保有が「必要最小限度の実力」に含まれると評価するのは難しいでしょう。

また、憲法98条2項は「日本国が締結した条約及び確立された国際法規は、これを誠実に遵守することを必要とする」と定めます。日本は１９７０年（昭和45年）に核不拡散条約（Treaty on the Non-Proliferation of Nuclear Weapons：NPT）に署名し、１９７６年（昭和51年）に批准しています。この条約では、日本は核兵器を保有しないことを求められていますから、核保有は、憲法９条の必要最小限の縛りとは別に、条約と憲法98条2項によっても禁止されています。

日本での防衛政策の議論は、憲法９条ばかりに目が行きがちです。しかし、核兵器に限らず、兵器の保有は、憲法９条だけでなく、国際的な条約で規制されることもある、ということには注意が必要です。例えば、日本は、１９９８年（平成10年）に対人地雷禁止条約

（1999年・平成11年発効）を締結し、地雷の保有は禁じられています。

一方、「核共有」とは、アメリカ軍の核兵器を日本国内に配備し、その使用について、日本政府が意見を述べられるようにするものです。これは、非核三原則の「持ち込ませず」の部分に反するため、大きな政策転換となります。

ただ、「日本政府が意見を述べられる」と言っても、核兵器を使用するかどうかの決定権は、あくまでもアメリカ政府にあります。核兵器が配備された場所が重要な攻撃目標となることからすれば、それが配備された国の政府が意見を述べられることなど、当然のことにすぎないでしょう。現在すでにアメリカと日本は安全保障条約を締結していることを考えると、日本国内への核兵器の配備が抑止力を向上させるかは不透明です。

また、これまで配備されていなかった核兵器を配備すれば、周辺国との緊張は高まり、戦争時には最優先の攻撃目標になります。これでは、日本の安全をかえって脅かすことになりかねません。こうした点から、「核共有」の議論は立ち消えになりました。

政府の理解によれば、憲法9条は、核兵器の保有それ自体を一切合切禁じるものではありません。しかし、「正義と秩序を基調とする国際平和」（憲法9条1項）を実現するために、核兵器の廃絶や禁止に向けて最大限の努力が必要なことは言うまでもありません。

第五章　自衛隊関係法の体系

　ここまでの話をまとめると、次のようになります。まず、政府は、憲法9条を武力行使一般を禁止する文言と読みつつ、憲法13条を根拠に、自衛のための必要最小限度の武力行使はその「例外」として許されるとしてきました（第三章）。また、最高裁判所は、日本国自身の武力行使の是非や自衛隊の合憲性については判断していませんが、日米安保条約に基づく米軍駐留は「憲法九条」「の趣旨に適合」し「違憲無効であることが一見極めて明白であるとは到底認められない」と判断しています（第四章）。

　メディアを見ていると、「憲法9条のせいで自衛隊は全く弾を撃つことができない」と批判する人がいるかと思えば、逆に、「ＰＫＯや後方支援の名目で、これまでも日本は海外で武力行使してきた」と批判する人もいます。こういう発言を聞いていると、自衛隊をめぐるいまの法律がひどく不合理なのではないかと心配になるかもしれません。

しかし、自衛隊に関する法律は、憲法の解釈、国際的な状況、自衛隊の歴史を踏まえ、相当程度に合理的な体系となっています。そこで、本章では、自衛隊に関わる法律の体系を、特に、本書のテーマとの関係で重要な自衛隊の行動と武力行使・武器使用権限に注目しながら整理してみたいと思います。

1― 自衛隊の組織と任務

1950年、朝鮮戦争勃発を受け、政府は、警察予備隊を設置しました。その後、同隊は、1952年に保安隊へと改組され、さらに1954年に自衛隊となりました。陸上自衛隊・海上自衛隊・航空自衛隊の三隊からなり、2022年（令和4年）3月31日時点で、陸上自衛官13万8060人、海上自衛官4万2850人、航空自衛官4万2828人、統合幕僚幹部等3704人、合計22万7442人（定員は24万7154人・充足率92％）からなる大きな組織です。

第三章3に述べたように、自衛隊は行政組織なので、内閣総理大臣は、憲法72条に基づき、内閣を代表して自衛隊の指揮監督を行います。自衛隊法も憲法の規定を受けて「内閣総理大臣は、内閣を代表して自衛隊の最高の指揮監督権を有する」と定めています（自衛隊法7条）。また、実際の隊務は防衛大臣の担当です。防衛大臣は、統合幕僚長・陸上幕僚長・海上幕僚長・航空幕僚長を通じて隊務を統括します（同8条）。

では、自衛隊の任務にはどんなものがあるのでしょうか。

自衛隊法によれば、自衛隊は「我が国の平和と独立を守り、国の安全を保つため、直接侵略及び間接侵略に対し我が国を防衛することを主たる任務とし、必要に応じ、公共の秩序の維持に当た（り）」ます（自衛隊法3条1項）。さらに、それらの任務に支障を生じない範囲で、「我が国周辺の地域における我が国の平和及び安全に重要な影響を与える事態に対応して行う我が国の平和及び安全の確保に資する活動」（同2項1号）と「国際連合を中心とした国際平和のための取組への寄与その他の国際協力の推進を通じて我が国を含む国際社会の平和及び安全の維持に資する活動」（同2号）を行います。

自衛隊法3条1項を受けて、国内で起きる事態に対する自衛隊の活動には、①外国からの侵略に対応するための防衛出動（自衛隊法76〜77条ノ4）、②テロリスト・犯罪者・不法侵入者などに対応するための治安出動（同78〜81条）・警備出動（同82条）・領空侵犯対応（同84条）、③災害派遣（同83〜同83条ノ3）、④機雷や弾道ミサイル・不発弾などの危険物の除去・破壊（同82条ノ3、同付則4項）の四つがあります。

自衛隊法3条2項を受けた国外での活動として、⑤海賊対処行動（同82条ノ2）、⑥後方支援、⑦在外邦人等の保護・輸送、⑧国連ＰＫＯ活動が規定されています。

では、自衛隊が、これらの行動の中で武力行使が認められるのは、どのような範囲なのでしょうか。続いて、この点を整理して行きます。

2 「武力行使」・「武器使用」・「戦闘」の用語

自衛隊による実力行使についての法律を理解するには、用語を正しく理解する必要があります。

まず、第一章・第二章に見たように、国際法の武力不行使原則や憲法9条は、あくまで、日本が別の「国家（国および国に準ずる組織を含む）」に実力を行使するときに適用されるルールです。このため、テロリスト・海賊・犯罪者といった非国家的主体を相手にするときには、そうしたルールは適用されません。自衛隊法等の法律でも、他の国家相手の実力行使のことを「武力行使」、非国家的主体を相手にした実力行使のことを「武器の使用」と、用語を使い分けています。

また、「戦闘」という言葉にも注意が必要です。日常用語の感覚では、戦車が登場し、バズーカ砲の撃ち合いが行われるような状況は、誰がやっているかを問わず「戦闘」と呼んで違和感がないでしょう。しかし、法律用語で「戦闘」と言う場合には、国家同士の戦いを意味します。

この用語をめぐる象徴的な出来事が、２０１７年の自衛隊日報問題です。当時の稲田朋美防衛大臣は、２０１６年７月に南スーダンのジュバで起きた戦いについて、「戦闘行為」ではないと答弁しました。これには強い批判が起こり、後に、「戦闘」と書かれた日報を隠したことの責任を取って辞任しました。確かに、この時の稲田大臣の答弁には、分かりにくい部分もありました。しかし、日本政府は、ジュバで南スーダン政府軍と戦っていた相手は「国家やそれに準ずる組織」ではなかったという前提を採っています。このため、どんなに戦いが激しくとも、法律用語としての「戦闘」ではありません。稲田大臣の答弁は、法律的には正しかったのです。日報に書かれた日常用語としての「戦闘」と、法律用語としての「戦闘」の違いを、防衛大臣が明確に説明できなかったことは、とても残念です。

さて、このように、国家相手の実力行使と、非国家的主体を相手にした実力行使では、法的性質が異なり、「武力行使」と「武器使用」、あるいは、「戦闘」とそれ以外の「武力紛争」・「戦い」は、法律用語としては区別されます。そして、憲法９条との関係が問題になるのは、「武力行使」の場合だけです。「武器使用」については、警察の銃使用などと並んで、行政法上の問題として、その活動の適否が問われるだけです。

もっとも、現代社会においては、テロリストやマフィア等が重武装を備えることもまれではありません。国家同士の戦闘現場に比べて、国家ではない相手との戦いは安全で平穏だとは必ずしも言えないでしょう。また、現地の武装勢力を攻撃すれば、自衛隊員や日本国に対する怨念が生まれ、日本国内でテロを誘発したりする危険が高まることも考えられます。「武力行使」と「武器使用」、「戦闘」とそれ以外の戦いの違いは、あくまで法律上の扱いに関するもので、憲法9条の適用されない「武器使用」や「テロ対策」であっても、極めて危険で重大な事態だということを理解する必要があります。

以上のような用語法を前提に、自衛隊の武力行使・武器使用権限を整理しましょう。

3　国内で起きる事態に対する行動

まず、国内で起きる事態に対する行動について見て行きましょう。

(1) 防衛出動（自衛隊法76条）

自衛隊の最も重要な活動は、①外国からの侵略に対応するための防衛出動です。自衛隊は、次の条文に基づき、防衛出動を行います。

【自衛隊法】

（防衛出動）

第七十六条　内閣総理大臣は、次に掲げる事態に際して、我が国を防衛するため必要があると認める場合には、自衛隊の全部又は一部の出動を命ずることができる。この場合においては、武力攻撃事態等及び存立危機事態における我が国の平和と独立並びに国及び国民の安全の確保に関する法律（平成十五年法律第七十九号）第九条の定めるところにより、国会の承認を得なければならない。

一　我が国に対する外部からの武力攻撃が発生した事態又は我が国に対する外部からの武力攻撃が発生する明白な危険が切迫していると認められるに至つた事態

二　我が国と密接な関係にある他国に対する武力攻撃が発生し、これにより我が国の存立が脅かされ、国民の生命、自由及び幸福追求の権利が根底から覆される明白な危険がある事態

2　内閣総理大臣は、出動の必要がなくなつたときは、直ちに、自衛隊の撤収を命じなければならない。

自衛隊法76条1項1号は、日本への武力攻撃がある「武力攻撃事態」と、それが差し迫った「切迫事態」に防衛出動を認めています。また、続く2号は、外国に武力攻撃があり、それが日本の存立を脅かす「存立危機事態」でも防衛出動を認めています。「存立危機事態」の規定は、2015年安保法制で追加されたもので、第六章で詳しく扱いますので、ひとまず措いておきましょう。

武力攻撃事態が認定できるのは、第一章に見た「武力攻撃への着手」があった時点以降です。ですから、例えば、外国が、攻撃の意図に基づき戦車や戦闘機の整備を始めたという段階では、切迫事態に止まります。艦隊が集結して作戦行動に入るなど、引き返せない段階に入って初めて、武力攻撃への着手があるとされ、武力攻撃事態が認定できるのです。

首相が防衛出動を命じる場合には、原則として事前に、やむを得ない場合には事後に、国会の承認を得る必要があります。そして、防衛出動した自衛隊は、次の条文に基づき、武力を行使することが認められます。

【自衛隊法】

（防衛出動時の武力行使）

第八十八条　第七十六条第一項の規定により出動を命ぜられた自衛隊は、わが国を防衛するため、必要な武力を行使することができる。

2　前項の武力行使に際しては、国際の法規及び慣例によるべき場合にあつてはこれを遵守し、かつ、事態に応じ合理的に必要と判断される限度をこえてはならないものとする。

この自衛隊法88条を見ると、武力攻撃事態でなくても、切迫事態で出動すれば武力行使できるようにも読めます。しかし、第一章に見たように、自国への武力攻撃のない段階で個別的自衛権を行使することはできません。このため、自衛隊法88条は切迫事態での武力行使を認めていないと解釈されています。切迫事態での出動は、武力攻撃事態に備えて、いつでも反撃できるように体制を整える出動なのです。

また、武力行使が許される場合でも、必要性・均衡性を充たす範囲で行わねばならないとするのが国際法のルールです。そこで、自衛隊法88条2項は、「事態に応じ合理的に必要と判断される限度をこえてはならない」と規定しています。また、武力攻撃事態の場合の手続きや自衛隊の行動については、武力攻撃事態法が詳細を規定しています。

（2）自衛隊による治安警察活動

①防衛出動は、他の国家を相手に武力行使することを想定するのに対し、②治安出動（自衛隊法78～81条）・警備出動（同82条）・領空侵犯対応（同84条）の相手は、国家ではなく、テロリスト・犯罪者・不法侵入者などです。こうした非国家的主体を相手にした実力行使は、「武力行使」ではなく「治安警察活動」と呼ばれます。

自衛隊が治安警察活動を行う場合には、国際法の武力不行使原則や憲法9条は適用されません。しかし、だからと言って好き勝手にしてよいというわけではなく、国際人権法や憲法の人権保障規定・法律の厳格な手続きや歯止めなどに従って、行動する必要がありまず。自衛隊法は、それぞれの事態に応じて、必要な範囲で「武器の使用」を認めています。

（3）災害派遣、危険物の除去・破壊

①防衛出動・②自衛隊による治安警察活動は、場合によっては武器を使って実力を行使しますが、③災害派遣（同83条～同83条ノ3）の場合には、当たりまえのことながら武器の使用は認められていません。④機雷や弾道ミサイル・不発弾などの危険物の除去・破壊（同82条ノ3、同付則4項）については、必要な範囲で武器の使用が認められます。

ちなみに、2016年公開の映画『シン・ゴジラ』では、街を破壊するゴジラを撃退するため、自衛隊出動の根拠条文を検討しているシーンがあります。映画の中では、結局、自衛隊法76条を根拠に「防衛出動」をします。しかし、防衛出動は、あくまで外国からの侵略に対応する場合にしかできません。ゴジラは外国の軍隊ではないので、厳密に言えば、あのような出動はできないはずです。また、ゴジラは犯罪者やテロリストでもないので、治安出動（自衛隊法78条）もできないでしょう。かといって、災害派遣（同83条）では武器の使用ができません。現行法では、実は、ゴジラを撃退するために、自衛隊が武器を使用することはできないのです。

4 — 国外で起きる事態に対する行動

次に、国外での活動について見て行きましょう。政府解釈では、第六章で論じる「存立危機事態」の場合を除き、日本に武力攻撃のない段階で、他の国に武力を行使することは憲法違反とされます。このため、自衛隊の海外派遣に関する法律は、国家同士の「戦闘」が行われている現場に自衛隊を派遣したり、他の国に「武力行使」したりすることを禁じています。以下、具体的に見て行きましょう。

(1) 海外対処行動

自衛隊は海外でも重要な活動をしており、⑤海賊対処行動(自衛隊法82条ノ2)も、その一つです。海賊と言うと黒髭や大航海時代を思い浮かべるかもしれませんが、現代でも、海賊は深刻な問題です。海賊は、国際法上、各国の警察権で対応できる問題とされています。それを受け、日本も2009年に「海賊行為の処罰及び海賊行為への対処に関する法律」を制定しました。

現在、海上自衛隊は、ソマリア沖の海賊対策のためアフリカ東部のジブチに在外基地を置いています。海賊への対処は、軍事活動ではなく警察活動なので、自衛隊が海賊を捕まえた場合には、日本の刑事訴訟法と刑事法に従い処罰します。実際に、ソマリアの海賊が東京の裁判所で起訴されたケースもあり、ソマリアから東京拘置所まで送還し、ソマリ語の通訳をつけて裁判をするようです。ただ、日本では、ソマリ語を話せる人はごくわずかしかいません。高野秀行氏の『謎の独立国家ソマリランド』(本の雑誌社、2013年)、『恋するソマリア』(集英社、2015年)では、ソマリアの海賊についての現地情報や、ソマリアと呼ばれた地域の興味深い現状、そして、貴重なソマリ語の話者である高野氏に海賊の通訳が依頼されたことが描かれています。

(2) 外国軍の武力行使に対する後方支援

続いて、⑥外国の武力行使に対する後方支援について検討しましょう。

「後方支援」とは、外国が安保理決議や自衛権に基づいて行う武力行使について、日本自身がその国と一体となって武力行使をしている(これを「武力行使の一体化」と言います)と評価されない範囲で支援することを言います。

例えば、A国がB国を空爆しているとき、航空自衛隊が一緒に空爆することは「武力行使の一体化」として許されません。第二章・第三章に見たように、日本は原則として安保理決議・集団的自衛権に基づく武力行使はできないからです。これに対して、戦闘現場から遠く離れた場所でA国の軍隊に水や食糧を提供することは、一緒になって武力行使しているとまでは評価されず、「後方支援」として合憲と考えられています。

従来は、周辺事態法という法律があり、「そのまま放置すれば我が国に対する直接の武力攻撃に至るおそれのある事態等我が国周辺の地域における我が国の平和及び安全に重要な影響を与える事態」(これが「周辺事態」の定義です)の場合に、自衛隊が米軍などの後方支援をすることが認められていました。また、周辺事態以外の場合に後方支援を行うには、2001年の「平成十三年九月十一日のアメリカ合衆国において発生したテロリストによる攻撃等に対応して行われる国際連合憲章の目的達成のための諸外国の活動に対して我が国が実施する措置及び関連する国際連合決議等に基づく人道的措置に関する特別措置法」（以下、テロ特措法）、２００３年の「イラクにおける人道復興支援活動及び安全確保支援活動の実施に関する特別措置法」（以下、イラク特措法）のように、事態ごとに特別措置法を制定する必要がありました。

しかし、２０１５年安保法制で大改正が行われ、後方支援の対象が拡大し、手続きも簡略化されました。この点は第六章で整理します。

(3) 在外邦人の保護・輸送

⑦在外邦人等の保護・輸送（自衛隊法84条ノ３）とは、「外国における緊急事態に際して生命又は身体に危害が加えられるおそれがある邦人」がいた場合、外務大臣の求めに応じて行う措置です。

在外邦人の保護を目的とした自衛隊派遣と言えども、国際法や憲法に違反してはならないのは当然です。その邦人のいる外国が緊急事態になっているからといって、外国の主権を侵害することは許されません。このため、自衛隊法84条ノ３に基づき自衛隊を海外に派遣するには、（１）戦闘行為のない場所であり（同１項１号）、かつ、（２）当該国の同意があること（同1項2・3号）が条件になります。

在外邦人等の保護・輸送等のために派遣した自衛隊は、一定の武器の使用が認められますが、戦闘行為のある場所に派遣できないことから明らかなように、外国軍への武力行使の権限は認められません（自衛隊法94条ノ5〜94条ノ6）。

（4）国連の平和維持活動（PKO）

⑧国連による平和維持活動（Peace Keeping Operations; PKO）とは、国連安保理決議に基づいて各国の軍隊等が行う、紛争地の停戦合意の監視や復興支援などの活動です。PKO活動の中には武力行使が必要となる活動もありますが、日本は憲法によって武力行使が禁止されているので、そうした活動には参加できません。また、武力行使が不要な活動だとしても、情勢の不安定な地域に行けば、高度の危険性があります。このため、日本は90年代まで、PKOには参加してきませんでした。

しかし、海外からの日本に対する参加の要請も強く、1992年に「国際連合平和維持活動等に対する協力に関する法律」（PKO協力法）が制定されました。自衛隊は、カンボジア、モザンビーク、ルワンダ難民救援、ゴラン高原、アフガニスタン難民救援、東ティモール避難民救援、イラク被災民救援、ネパール、スーダン、ハイチ、南スーダンなどに派遣されてきました。

ＰＫＯへの自衛隊派遣には、自衛隊員の安全を確保し、かつ、武力行使が必要となることがないよう、厳しい条件が課されています。具体的には、①停戦合意があること（ＰＫＯ協力法3条1号）、②受入国の同意があること（同6条1項1号）、③紛争当事者に対し中立を維持すること（同6条13項1号）、④①から③の条件を満たさなくなった場合に即時撤退できること（同8条1項6号）、⑤武器使用は、自己またはその属する部隊及びその管理下にいる者の生命などの防衛のために必要最小限度で行うこと（２０１５年安保法制制定前の旧ＰＫＯ協力法24条）の五原則を満たしたうえで、国会の承認（同6条7項）を得て行う必要があるとされていました。

２０１５年安保法制で⑤に修正が加えられるまで、自衛隊は、積極的な武器使用を想定しない形で派遣されていました。このため、自衛隊によるＰＫＯへの協力は、行政事務への協力やインフラの整備が中心でした。今後は、自衛隊の行うＰＫＯ活動にも変化があるかもしれません。

以上が、自衛隊に関する法体系の概観です。

現在の法律は、日本が武力攻撃された場合の防衛出動等の体系を整える一方、自衛隊が海外で武力行使をしないように慎重に歯止めをかけていることが分かります。法体系をきちんと理解すれば、「憲法9条の下で日本は無防備状態だ」式の議論や、「自衛隊はこれまで海外で集団的自衛権を行使してきた」式の議論の誤りもよく分かるでしょう。

第五章補足

集団的自衛権行使容認の曖昧さ

ここまで見てきたように、政府は、日本への武力攻撃があった場合に、防衛のために武力を行使することは憲法9条の下で例外的に許されるとしてきました。しかし、第六章で見るように、政府は、2014年7月1日の閣議決定で、「我が国と密接な関係にある他国に対する武力攻撃が発生し、これにより我が国の存立が脅かされ、国民の生命、自由及び幸福追求の権利が根底から覆される明白な危険がある事態」(存立危機事態)であれば、日本への武力攻撃がなくても、集団的自衛権を行使して、武力を行使できると解釈変更しました。

憲法学説は、このことをどう評価しているのでしょうか。二人の著名な憲法学者の見解を紹介してみたいと思います。

長谷部恭男教授は、次のように論じます。まず、「国民の生命・財産の保全はいかなる国家であろうとも、最低限果たすべき普遍的な役割であり、国外からの急迫不正の侵害に対して実力の行使なくして対処することは不可能であることからすれば、個別的自衛権の行使が憲法9条の下においても認められるとの結論は、良識にかなう」とします。他方、2014年7月1日の閣議決定が示した解釈は、従来の政府見解と論理的整合性に欠けており、「具体的な存在が立証されていない状況の変化を言い募る」だけで結論を正当化しようとするもので、

「認められる武力行使の範囲を根底的に不安定化させている」と評価します（長谷部恭男『憲法の理性〔増補新装版〕』東京大学出版会、2016年、224〜226頁）。

長谷部教授は、政府が、解釈を変えた理由も、変えた後の武力行使が認められる範囲も不明確にすぎ、武力行使の枠づけを崩壊させてしまっているという点を問題視します。集団的自衛権の行使容認の是非以前に、そもそも何をしているか分からない危険な状態が生まれているということでしょう。

高橋和之教授は、新しい政府解釈について、「旧要件が『我が国の領域』に対する侵害という、具体的にイメージできる核（コア）をもつと理解されていたので、意味内容が明確であったのと比べると、存立危機事態は『領域』という核を捨てて『事態』という曖昧模糊とした概念に変えたので、拡張的運用の可能性が高まったというべきであろう」と指摘します。

高橋教授も、これまでは「日本の領土・領空・領海への武力攻撃があったとき」という明確な枠づけがあったのに、集団的自衛権の行使容認によって、武力行使の範囲が曖昧になり、枠付けが機能しなくなったことを問題にしています（高橋和之『立憲主義と日本国憲法（第5版）』有斐閣、2020年、70頁）。

武力行使の枠が曖昧不明確だというのは、法案審議の段階から指摘されていました。2015年7月13日、衆議院の安保法制特別委員会の公聴会にて、私も次のように指摘しています。

そもそも、現在の政府答弁では、我が国の存立という言葉が余りにも曖昧模糊としております。明確な解釈指針を伴わない法文は、いかなる場合に武力行使を行えるかの基準を曖昧にするもので、憲法九条違反である以前に、そもそも、曖昧、不明確ゆえに違憲だと評価すべきでしょう。

さらに、内容が不明確だということは、そもそも、今回の法案で、可能な武力行使の範囲に過不足がないかを政策的に判定することができないということを意味します。

どんな場合に武力行使をするのかの基準が曖昧、不明確なままでは、国民は法案の適否を判断しようがありません。仮に法律が成立したとしても、国会が武力行使が法律にのっとってなされているか判断する基準を持たないことになります。これでは、政府の武力行使の判断を白紙で一任するようなもので、法の支配そのものの危機だと言えます。

このように、私も含め憲法学者たちは、2014~2015年の集団的自衛権の行使容認は、日本への武力攻撃のない段階での武力行使を認めたこと自体の問題もさることながら、武力行使の範囲を曖昧にしてしまったという点で、憲法上問題がある、としています。

第六章　２０１５年安保法制と集団的自衛権

第五章にみた自衛隊に関する法律は、２０１５年安保法制で、集団的自衛権の行使容認を含め、様々な変更が加えられました。そこで、２０１５年安保法制とは何であったのか、どこに問題があり、今後どのように考えるべきか、を考えて行きましょう。

１―２０１５年安保法制の制定経緯

２０１２年末の総選挙で自民党が大勝し、第二次安倍晋三政権が発足します。安倍首相は、２０１３年２月に、私的諮問機関である「安全保障の法的基盤の再構築に関する懇談会」（安保法制懇）の活動を再開し、安全保障関連法の検討を始めさせました。２０１４年

5月15日、安保法制懇は、報告書を提出します。7月1日、この内容を一部取り込む形で、政府は、「国の存立を全うし、国民を守るための切れ目のない安全保障法制の整備について」と題された閣議決定（2014・7・1閣議決定）を行いました。

従来、政府は、日本が武力を行使できるのは、日本自身が武力攻撃を受けている場合（武力攻撃事態）のみだとしてきました。しかし、2014・7・1閣議決定は、「我が国と密接な関係にある他国に対する武力攻撃が発生し、これにより我が国の存立が脅かされ、国民の生命、自由及び幸福追求の権利が根底から覆される明白な危険がある」場合（存立危機事態）にも武力行使が認められるとし、さらに、その武力行使は、「国際法上は、集団的自衛権が根拠となる場合がある」としました。また、この閣議決定は、後方支援の範囲を拡大するなど、安全保障法制についてのいくつかの重大な方針転換を含んでいました。

2015年2月から、この閣議決定に基づく自民・公明両党の与党協議が行われ、同年5月に「平和安全法制」という名で法案が国会に提出されました。この法案には、集団的自衛権の行使を容認する規定や、後方支援・PKOで危険な任務を付加する内容が含まれたため、野党や反対派市民は強く批判しました。法案審議では、閣僚が明確な答弁ができないせいで速記が止まったり、招致された参考人・公聴人から法案は違憲だとの指摘が相次いだりしました。ちなみに、私も、7月13日に衆議院安保特別委員会で開かれた公聴会に呼ばれ、法案は違憲だとの意見を述べました。

　専門家による違憲の指摘の中で、特に重要だったのが、6月4日の憲法審査会での長谷部恭男参考人（早稲田大学教授）の発言です。長谷部教授は、「集団的自衛権の行使が許されるというその点について、私は憲法違反であ」り、「従来の政府見解の基本的な論理の枠内では説明がつきませんし、法的な安定性を大きく揺るがすものであるというふうに考えております」と指摘しました。長谷部教授は、当時（今でも）、最も権威あるとされる憲法学者です。しかも、この日、長谷部教授を参考人として推薦したのは自民党でした。与党推薦の参考人ですら違憲と指摘したことで、大騒ぎになったのです。

　この事件の前後から、テレビや新聞による憲法学者のアンケート調査が行われていました。その先陣を切ったのは、テレビ朝日系列「報道ステーション」が実施した、『憲法判例百選（第六版）』の解説担当研究者に回答を求めたアンケートです。6月15日放送の番組で、集計が発表されましたが、集団的自衛権の限定容認については、回答者の約96％が違憲ないし違憲の疑いありとし、合憲はわずか2％という結果でした※1。もちろん、アンケートが全てではなく、違憲とする論拠も完全に一致したわけではありません。それでも、専門家の圧倒的多数が違憲と評価している事実は、社会に大きな衝撃を与えました。

　これらの事件、報道、専門家の意見表明を受け、国民の多くもこの法案は違憲らしいと感じるようになったようです。同年の6月20日・21日の共同通信の世論調査では、安保法案を違憲とする回答が56・7%に上っています。さらに、7月以降、国会前などで、法案反対の大規模デモが行われるようになりました。

しかし、政府・与党は、方針を変えることはなく、7月16日、法案は衆議院を通過し、9月19日には参議院でも可決され、安保法制（以下、2015年安保法制）が成立しました。

2　2015年安保法制の内容

では、2015年安保法制とは、どのような内容だったのでしょうか。実は、この時の法案には、性質の異なる内容がたくさん盛り込まれていました。関係する法律の数で言うと、10本の法律についての改正と1本の法律の新設が、一つの法案として提出されたのです。到底一言でまとめることはできませんが、主要な部分を概説してみましょう。

(1) 在外邦人の保護

第一に、自衛隊による在外邦人等の保護措置に関する規定が追加されました。

仕事や観光など、外国に在留する邦人は多数に及びます。領域主権国家をとる現代社会では、外国に在留する人々の保護は、その外国政府が担うのが原則です。したがって、外国で何らかの異変があり、邦人に危険が及んだとしても、かつての自衛隊法で自衛隊に許されるのは、「輸送」のみでした（旧自衛隊法84条ノ3）。

これに対し、2015年安保法制では、自衛隊の業務に「外国における緊急事態に際して生命又は身体に危害が加えられるおそれがある邦人の警護、救出その他の当該邦人の生命又は身体の保護のための措置」が加えられました（自衛隊法84条ノ3）。この活動に必要な限度で、緊急避難または正当防衛の要件を充たす場合には、外国での武器使用も可能となりました。

(2) 平時の米軍などへの協力の拡大

第二に、平時における米軍などへの協力範囲が拡大しました。

従来、自衛隊は、武器・弾薬などを警護するために武器を使用することができるとされていました（旧自衛隊法95条ノ2）。他方、2015年安保法制は、武器使用の対象を共同で日本の防衛にあたる外国軍あるいは、共同訓練中の外国軍の警護にも広げました（自衛隊法95条ノ2）。ただし、武器使用は、緊急避難・正当防衛の場合に限定するという制限がかけられています。

また、これまで自衛隊は、共同訓練や災害対応の際に、米軍に物品や役務を提供できるとしていましたが（旧自衛隊法100条ノ6）、その範囲を警護出動や海賊対処行動に広げることになりました（自衛隊法100条ノ6）。

（3）国連ＰＫＯへの協力拡大

第三に、国連ＰＫＯへの協力範囲が拡大しました。第五章４（４）に見たように、自衛隊が国連ＰＫＯに協力する場合、武器使用には、「自己またはその属する部隊及びその管理下にいる者の生命などの防衛のために必要最小限度で行うこと」との限定が付されていました。こうした武器使用は、「自己保存型」と呼ばれています。武器使用が自己保存型に限定されている結果として、積極的な武器使用が必要となる、攻撃を受ける他国部隊の警護などの業務は行えないとされてきました。

しかし、２０１５年安保法制では、「業務を行うに際し、自己若しくは他人の生命、身体若しくは財産を防護し、又はその業務を妨害する行為を排除するため」に武器を使用できるようになりました（ＰＫＯ協力法26条）。これは、「任務遂行型」の武器使用と呼ばれるものです。この規定を前提にすれば、積極的な武器使用が必要な、安全確保や駆けつけ警護といった業務も行えるようになります。その結果、ＰＫＯ派遣される自衛隊のなし得る業務に、「防護を必要とする住民、被災民その他の者」の警護などの業務（PKO協力法3条5項ト）や、他国のPKO関係者の「緊急の要請」に対応して行う「生命及び身体の保護」（同3条5項ラ）が加えられました。

（4）外国軍の武力行使に対する後方支援拡大

第四に、自衛隊による外国軍の後方支援の範囲が拡大され、手続きも簡略化されました。

これまでは、外国軍の後方支援は、第五章4（2）に見たように、日本の周辺地域において、放置すれば日本に直接の武力攻撃が生じる事態、いわゆる「周辺事態」にのみ認められていました（周辺事態法）。それ以外の場合に後方支援を行おうとするならば、イラク特措法やテロ対策特措法といった特別措置法をその都度、制定する必要があったわけです。

２０１５年安保法制では、「周辺事態」における地理的な制約を削除し、「我が国の平和及び安全に重要な影響を与える事態」（重要影響事態）であれば、後方支援をできるようにしました（重要影響事態に際して我が国の平和及び安全を確保するための措置に関する法律、以下、重要影響事態法1条）。重要影響事態での後方支援は、日本の安全にかかわる事態であるため、一定の場合には、国会の事後承認で足りるとされます。

また、「国際平和共同対処事態に際して我が国が実施する諸外国の軍隊等に対する協力支援活動等に関する法律」（以下、国際平和支援法）を新設し、「国際社会の平和及び安全を脅かす事態であって、その脅威を除去するために国際社会が国際連合憲章の目的に従い共同して対処する活動を行い、かつ、我が国が国際社会の一員としてこれに主体的かつ積極的に寄与する必要があるもの」（国際平和共同対処事態）の場合にも、後方支援をできるようにしました。この法律により、特別措置法をいちいち立法しなくても、政府の判断で後方支援ができるようになりました。国際平和共同対処事態では、重要影響事態ほどの緊急性はないので、例外なく国会の事前承認が要求されます。

さらに、一連の法案では、後方支援ができる場所やメニューも広がっています。

まず、従来は、後方支援ができる場所は、「非戦闘地域」に限定されていました。非戦闘地域とは、現に戦闘が行われていないだけでなく、一定の時間的広がりを持って戦闘行為が行われておらず、将来も行われないであろうと判断できる地域のことを言います。これに対し、2015年安保法制以降は、「現に戦闘が行われていない地域」であれば後方支援ができることになりました（重要影響事態法2条3項、国際平和支援法2条3項）。

また、従来、弾薬の提供や作戦行動発進前の機体への給油は禁じられていましたが（旧周辺事態法別表第一備考、第二備考参照）、重要影響事態法・国際平和支援法いずれにおいても、それらのメニューが解禁されました。これがいかに深刻な問題を生じさせるかは、後で論じます。

（5）防衛出動の新要件

第五に、自衛隊の防衛出動について新要件が設定されました。2015年安保法制は、武力攻撃事態・切迫事態に加え、「我が国と密接な関係にある他国に対する武力攻撃が発生し、これにより我が国の存立が脅かされ、国民の生命、自由及び幸福追求の権利が根底から覆される明白な危険がある事態」（存立危機事態）にも、防衛出動ができるとしました（自衛隊法76条1項2号）。存立危機事態に出動した自衛隊は、自衛隊法88条に基づき、必要最小限の武力を行使できるとされます。

これにより、2014・7・1閣議決定で認められた限定的な集団的自衛権の行使に、法律上の根拠が与えられることになったのです。このことの問題点は、後述します。

（6）2015年安保法制小括

その他にもいろいろと細かい変更点はありますが、概ね以上の五項目が、2015年安保法制の骨格です。これをまとめると、次頁の図のようになります。

【図：安保法制の概要】

項目	従来	2015年安保法制
① 在外邦人の保護	輸送のみ可能	警護、救出が可能
② 平時における米軍など協力の拡大	自衛隊の武器等防護	外国軍の武器等防護も可能
	米軍協力は一定の範囲	米軍協力の幅を拡大
③ 国連PKOへの協力	自己保存型の武器使用のみ	任務遂行型の武器使用も可能
	住民警護、駆けつけ警護不可	住民警護、駆けつけ警護可能
④ 外国軍の後方支援	周辺事態でない場合は、特別措置法を制定する必要あり	重要影響事態か国際平和共同対処事態なら後方支援可能
	非戦闘地域でのみ可能	現に戦闘が行われていない地域なら可能
	弾薬提供、戦闘行為への給油は禁止	弾薬提供、戦闘行為への給油を解禁
⑤ 防衛出動の新要件	武力攻撃事態・切迫事態のみ防衛出動	存立危機事態も防衛出動可能

3 — 2015年安保法制の問題

それでは、こうした安保法制の内容は、どのように評価されるべきでしょうか。

まず、在外邦人の保護（2（1））、平時の米軍などへの協力（2（2））、国連PKOへの協力（2（3））は、いずれも非国家的主体に対する治安警察活動に関わるものです。したがって、その任務を拡大しても、それは「行政」と「外交」の範囲に止まっており、憲法が禁じる「武力行使」には当たらないでしょう。

また、後方支援（2（4））については、重要影響事態法案・国際平和支援法案のいずれでも、外国軍の「武力行使と一体化しないこと」が条件とされており、これまで同様、日本自身の「武力行使」は禁じられています。さらに、集団的自衛権の限定容認（2（5））についても、合憲的に解釈する余地はあります。

そうすると、全般としては、憲法上の原則を踏まえた内容になっており、これまでの枠を大きく踏み越えるものではないと言えるでしょう。少なくとも、国際法違反の法律用語としての「戦争」を正当化するようなものではありません。その意味で、「安保法制は戦争法案だ」という批判に対し、安倍首相が、「戦争法案ではない」と強調したのも理解できなくはありません。

しかし、今回の法案やその審議方法には、幾つか重大な問題も含まれています。以下、順に指摘しましょう。

(1) 法案審議の方法

まず、2015年安保法制は、多様な内容の法案を一括審議するもので、このこと自体が強く批判されました。

2015年安保法制の立法作業については、しばしば、「政府の説明が足りない」、「急ぎすぎである」との指摘がなされました。5月8日から10日の読売新聞の世論調査でも、法整備それ自体については、賛成46%に対し反対41%とやや賛成が勝ったものの、2015年の通常国会で成立させることについては、賛成34%に対し反対が48%となっています。法案に賛成したい気持ちを持つ国民も、内容をもう少し理解した上で判断したかった、ということでしょう。

安全保障関係の法案には、国民の理解と信頼が不可欠です。10本の法律の改正と1本の法律の新設を一まとめにしたのでは、その内容を適切に把握できる人などほとんどいないでしょう。重要な法案だからこそ、国民が内容を理解しやすいように、テーマごとに適切に区分して法案を提出し、審議のために十分な時間を確保すべきだったのではないでしょうか。内閣は、国会に議題を提案する権限を持ちますが（憲法72条）、この権限は恣意的に行使すべきものではありません。国民全体のために、信頼できる国会審議を行えるように行使されるべきです。

（2）自衛隊員の安全確保

次に、強く懸念されるのは、自衛隊員の安全確保の問題です。

後方支援の「場所」は、非戦闘地域でなくとも、現に戦闘が行われていなければ良いとされました。法文上は、数日前に戦闘が行われた場所や、数日後に戦闘が想定される場所でも、後方支援ができてしまうわけです。

また、国連ＰＫＯへの協力では、住民保護や駆けつけ警護などの業務が追加され、現地の武装勢力を攻撃しなければならない場合も生じ得ます。自衛隊が攻撃する可能性があるということは、当然、反撃される可能性があるということです。自衛隊が現地の人に銃を向けるとなれば、現地で自衛隊員や日本国に対する怨念を蓄積させる危険もあります。

法律は、この点に配慮して、ＰＫＯへの協力にあたって「隊員の安全の確保に配慮しなければならない」としています（ＰＫＯ協力法10条）。しかし、任務遂行型の武器使用が想定される場所で、安全を確保するのは容易ではありません。

その他にも、２０１５年安保法制は、非常に危険な任務を新設しています。自衛隊員の安全を懸念する声が相次ぎました。

（3）弾薬提供・戦闘機給油の解禁

２０１５年安保法制では、これまで認められてこなかった、弾薬の提供や作戦行動発進前の機体への給油といった後方支援のメニューが解禁されました。

１９９７年11月20日、大森政輔内閣法制局長官（当時）は衆議院安保委員会で、これらの支援は「需要はない」からメニューから外したと答弁していました。しかし、今回の法制の審議の中で、大森元長官は、その当時、法制局参事官は、日米両政府の担当者に、「戦闘作戦行動のための発進準備中の航空機に対する給油、整備」は「典型的な（武力行使の）一体化事例であ」り、違憲だから「認められないよということをもう何度も何度も言い続けた」と指摘しています（参議院・我が国及び国際社会の平和安全法制に関する特別委員会・平成二十七年九月八日）。要するに、政府内部では違憲だとされてきたはずのものが、２０１５年安保法制で解禁されてしまったのです。もちろん、十分な理由があれば、従来の立場を変えることもあり得ます。しかし、２０１５年安保法制では、さしたる説明もなく、これほど重要な点を変更しており、非難が集中するのも当然でしょう。

また、２０１５年安保法制を前提にすると、逆の立場で考えたときに、非常に困ったことになります。例えば、日本がA国から武力攻撃を受け、B国がA国の軍隊に弾薬を提供したり戦闘機に給油したりしているとしましょう。従来の立場では、B国の弾薬提供や給油は、A国の武力行使と一体化するものとして、B国に対する個別的自衛権の行使が可能でした。しかし、２０１５年安保法制の立場を前提にすると、B国はA国の後方支援をしているだけで、日本に対する武力行使をしているわけではないということになります。これでは、日本はB国に個別的自衛権を行使できないことになってしまいます。これはかえって、日本の安全を危うくしていないだろうかという批判もなされました。

(4) 事後的な責任追及の手続

最後に、外国軍の後方支援については、事後的な合法性・適切性の検証手続きが不十分である点を指摘しなければなりません。

法案を取りまとめた与党協議では、後方支援を行う場合に、例外なく国会の事前承認が必要か、それとも例外的な事後承認を認めるか、が問題となりました。確かに、国会の承認は重要な論点です。しかし、国会の承認は、あくまで実施計画の是非を判断するもので、実際の任務遂行状況の監督や任務終了後の責任追及を行うためのものではありません。軍事活動の状況は、時々刻々と変化し、後方支援任務の中では計画外の事態に対処しなければならない場合も出てくるでしょう。このため、実際の運用の中で合法性が担保されているかを監督し、問題があれば任務終了後に責任を追及する必要があります。

実際に、先のイラク戦争の支援については、強く反省すべきことがありました。２００３年、イラク特措法が制定され、自衛隊は、非戦闘地域での復興支援活動に従事しました。この活動について、名古屋高裁判決（平成20年4月17日判時２０５６号74頁）は、「多国籍軍の戦闘行為にとって必要不可欠な軍事上の後方支援を行っている」として、「航空自衛隊の空輸活動のうち、少なくとも多国籍軍の武装兵員をバグダッドへ空輸するものについては」「他国による武力行使と一体化した行動であって、自らも武力の行使を行ったと評価を受けざるを得ない行動である」と認定しました。つまり、違憲な武力行使が行われたと認定したのです。

後方支援は、常に武力行使と一体化する可能性のあるぎりぎりの活動です。だからこそ、合憲性・合法性が担保されるように、自衛隊の外部から監視・監督する措置が必要なはずです。

また、イラク戦争の後方支援については、大きな国際法的・倫理的な問題もあります。そもそも、この戦争は、イラクの大量破壊兵器保有を理由としたものでしたが、結局、それは発見されませんでした。外務省は、当時の意思決定について検証した上で、「イラクの大量破壊兵器が確認できなかったとの事実については、我が国としても厳粛に受け止める必要がある」との報告をまとめました※2。しかし、この報告書はA4サイズで4ページにすぎず、政府の誰にどのような責任があったのかが明確にされていません。

武力行使の根拠が根本から欠けていたわけですから、イラク戦争は、実質的には国際法違反の侵略戦争だったと非難されてもやむを得ないでしょう。それを支持し、後方支援までしてしまった点について、日本政府も日本国民も強く反省すべきです。この点、イラク戦争に参加したイギリスでは、当時のブレア首相を議会に呼ぶなど徹底的な調査をし、分厚い報告書を出しています。また、アメリカでも、日本とは比較にならないくらいに厳格な事後検証が行われています。

こうした点を踏まえると、今後、仮に外国軍の後方支援をするにしても、事前の国会承認のみならず、政府・与党から独立した検証委員会の設置を義務付けたり、裁判所に合憲性・合法性の判断を求める訴訟手続を設けたりするなど、適切な責任追及の仕組みを設けるべきではないでしょうか。客観的な検証が十分になされなければ、同じような失敗が何度も繰り返されてしまいます。

4―2015年安保法制と集団的自衛権の限定容認

以上のような問題点に加えて、2015年安保法制の集団的自衛権行使容認は、憲法違反だという強い批判があります。この点を詳しく見て行きましょう。

第五章3（1）でも簡単に見ましたが、この法制で改正された自衛隊法76条1項2号は、「我が国と密接な関係にある他国に対する武力攻撃が発生し、これにより我が国の存立が脅かされ、国民の生命、自由及び幸福追求の権利が根底から覆される明白な危険がある事態」（存立危機事態）にも、防衛出動ができるとします。これは、2014・7・1閣議決定の文言をそのまま踏襲したもので、集団的自衛権の行使を「限定的に」容認するためのものだと言われます。では、集団的自衛権の行使は、どう「限定」されているのでしょうか。

まず、問題なのは、「我が国の存立が脅かされ」るという文言の理解です。これまでの政府見解では、この文言は、日本国が武力行使を受ける事態を意味すると理解されてきました。例えば、1972年の政府見解（「集団的自衛権と憲法との関係に関する政府資料」昭和47年10月14日参議院決算委員会提出資料）は、日本国憲法の下でも「自国の平和と安全を維持しその存立を全うするために必要な自衛の措置」をとることは可能だとし、「その存立」が侵害される場合とは、日本への直接の武力攻撃のことだとしています。１９７２年の政府見解を踏襲するならば、存立危機事態とは、「日本への武力攻撃の明白な危険がある事態」を意味すると理解すべきでしょう。

そして、存立危機事態は、武力攻撃の危険の「切迫」や「発生のおそれ」では足りず、危険が「明白に存在」していないと認定できません。とすれば、これは、第五章３（１）に見た切迫事態（自衛隊法76条1項1号後段）よりも先に進んだ事態、つまり武力攻撃への着手が認定できる事態だと理解せざるを得ません。つまり、存立危機事態とは、「外国への武力攻撃が、同時に、日本への武力攻撃の着手である事態」を意味すると理解するのが文言上は自然です（もっとも、日本への武力攻撃の着手があるなら、武力攻撃事態を認定し、個別的自衛権で対応すればよいはずで、あえて集団的自衛権の行使にこだわる理由は不明です）。

ところが、政府は国会審議において、日本への武力攻撃の着手がなくとも、「日米同盟の揺らぎ」や「オイルショックなどの経済的理由」で、存立危機事態が認定できると説明しました。しかし、自衛隊法76条1項2号の文言を見て、オイルショックのことを指していると読み取る人はほとんどいないのではないでしょうか。こうした政府の説明を前提にすると、存立危機事態の条文は、意味するところが曖昧で、自衛隊の行動を規律する条文としては不明確すぎます。

このため、日本維新の会は、法案の目標に基本的に賛成しつつ、存立危機事態の文言に代えて、「条約に基づき我が国周辺の地域において我が国の防衛のために活動している外国の軍隊に対する武力攻撃が発生し、これにより、我が国に対する外部からの武力攻撃が発生する明白な危険があると認められるに至った事態」とすべきだと修正案を提出していました。しかし、与党はこの提案を退けました。

こうした政府・与党の対応を見ていると、あえて「存立危機事態」の内容を曖昧なままにしようとしているのではないかという気がしてきます。しかし、意味不明な立法を行うこと自体が、実は憲法違反とされています。

憲法41条は、「立法権」を国会に与えています。この条文は、どんな法律でも作ってよいということではありません。立法権は「法の支配」という原理に基づいて行使されねばならないという趣旨を含んでいると解釈されています。「法の支配」の原理からは、法律の内容が一般的・抽象的であること、矛盾がないこと、不可能を強要するものでないことなどの要請に加え、「法律の内容が明確であること」という原理も導かれるとされます。

私は、2015年7月13日、我が国及び国際社会の平和安全法制に関する特別委員会公聴会で、公聴人としてお話しする機会を与えられました。その際、「今までのところ、政府が我が国の存立という言葉の明確な定義を示さないため、存立危機事態条項の内容は余りにも漠然、不明確なものになって」いて、「存立危機事態条項は、憲法九条違反である以前に、そもそも、漠然、不明確ゆえに違憲の評価を受ける」べきだと指摘しました。

5 ― 2015年安保法制に関する答弁・附帯決議・閣議決定

このような安保法制の制定の経緯と内容を見ると、一見、すべてを押し通したように見えるかもしれません。しかし、政府・与党は、法案審議の中で、一定の譲歩をしました。二つほど確認しましょう。

(1) 集団的自衛権に関する政府答弁

まず、集団的自衛権の行使については、国会の最終盤、重要な答弁がなされています。

2015年9月14日参議院安保特別委員会で、公明党の山口那津男代表は、「武力攻撃事態等と存立危機事態が私はほとんど同じなのではないか、ほとんど重なるのではないかと思う」と指摘しました。これに対し、横畠裕介内閣法制局長官も、「ホルムズ海峡の事例のように、他国に対する武力攻撃それ自体によって国民に我が国が武力攻撃を受けた場合と同様な深刻、重大な被害が及ぶことになるという例外的な場合が考えられるということとは否定できません」としつつも、ホルムズ海峡の事例が生じることは想定されず、「実際に起こり得る事態というものを考えますと、存立危機事態に該当するのにかかわらず武力攻撃事態等に該当しないということはまずない」と述べています。

違憲の批判を完全に免れるには、「存立危機事態と武力攻撃事態は理論的に重なる」と述べるべきであり、この答弁には不十分さが残ります。しかし、この答弁を前提にすると、この条項を実際に使うには、政府が、「この事態が武力攻撃を受けている事態と同等であること」を証明する責任を負うことになります。そうした証明は、実際に日本への武力攻撃への着手のない限り、ほとんど不可能と思われます。

（2）2015年安保法制の附帯決議・閣議決定

また、2015年9月19日の法案可決のときに、参議院が行った附帯決議と、安倍内閣によるそれを尊重する旨の閣議決定（2015年9月19日閣議決定「平和安全法制の成立を踏まえた政府の取組について」）も重要です。

この附帯決議は、日本を元気にする会、新党改革、次世代の党（当時）という比較的小規模な三党が、安保法制に対し修正案を突き付けたことにより行われました。政府・与党は法文修正までの譲歩はしなかったものの、少しでも野党の協力を得るため交渉し、修正案に基づく附帯決議と閣議決定を行うことで合意しました。

当時、日本を元気にする会の代表だった松田公太氏によれば、本来、安保法制には反対の立場だったようです。しかし、与党が数の力で押し切るのは目に見えていた。そこで、少しでも改善できる点を改善しようとした結果、法案への賛成と引き換えに、附帯決議を得たとのことです。

決議のポイントは、三つあります。

第一に、国会の関与を強めたことです。具体的には、自衛隊の活動中に国会に対して報告・説明をすること（4項）、国会が活動停止を決議した場合には即時停止すること（5項）、活動後には国会の特別委員会で事後的な検証をすること（9項）などが盛り込まれました。3（4）に指摘したように、2015年安保法制それ自体は、事後的な検証の仕組みがほとんど盛り込まれていません。しかし、この附帯決議の手続きをしっかりと整備し、実行すれば、監視・事後的検証の不十分さを相当程度解消できると思います。

第二に、後方支援についても、厳しい限定がかけられました。具体的には、後方支援における弾薬の提供を「緊急の必要性が極めて高い状況下にのみ想定されるものであり、拳銃、小銃、機関銃などの他国部隊の要員等の生命・身体を保護するために使用される弾薬の提供に限る」と明示しました（7項）。また、後方支援は、「自衛隊の部隊等が現実に活動を行う期間について戦闘行為が発生しないと見込まれる場所」で行うと明示しました（6項）。これは、実質的には、「非戦闘地域」と呼ばれてきた場所に限定されるという意味になります。

第三に、存立危機事態条項で集団的自衛権を行使する場合には、「例外なく」国会の「事前承認」が必要とされました（2項）。この決議が尊重されるならば、政府が独断で集団的自衛権を行使することは避けられるでしょう。

このように、附帯決議・閣議決定は、安保法制の問題点を一定程度解消するものになっています。さらに、三野党と与党の合意書は、この決議で終わりにするのではなく、「協議会を設置」し、「法的措置も含めて実現に向けて努力を行う」としています。附帯決議では拘束力は弱いので、法律の規定にしていくことも必要でしょう。また、改憲で集団的自衛権行使容認を明記するなら、例外なき国会の事前承認を憲法規定に盛り込むことも検討すべきでしょう。

※1　アンケートの質問は「今回の安保法制に盛り込まれた、『限定的』とされる集団的自衛権の行使の内容は、日本国憲法に違反すると考えますか？」というもので、回答は、(a) 憲法に違反する、(b) 憲法違反の疑いがある、(c) 憲法

違反の疑いはない、の中から選択する形式。151人の回答者のうち、違憲が124人、違憲の疑いありが21人、合憲が3人、無回答3人という結果でした。

※2　http://www.mofa.go.jp/mofaj/area/iraq/pdfs/houkoku_201212.pdf

第六章補足

自衛隊員の存立危機事態防衛出動命令無効確認訴訟

第四章で説明したように、日本の訴訟システムでは具体的な事件が起きないと裁判所が憲法判断をすることはありません。実際に集団的自衛権が行使されたことはないので、裁判所が安保法制の合憲性を判断するような訴訟をするのは困難です。

今の状況で、訴訟要件を満たして適法な訴訟となる可能性があるとしたら、自衛官による訴訟ぐらいでしょう。安保法制の成立によって、自衛官に対して、集団的自衛権に基づく武力行使をするために出動命令が出される可能性が生じました。この可能性を理由に訴訟を提起するのです。

一般論として、公務員は、違憲・違法な命令を出されないように予防的に確認訴訟を起こすことができます。もっとも、出るかどうか分からない命令まで扱っていると、裁判所の業務がパンクしてしまいます。ですから、訴訟を起こすには、「その命令が出る可能性が非常に高い」という条件が必要です。

例えば、財務大臣から財務省職員に「冬期エベレスト南西壁単独無酸素登頂」を行う命令が出る可能性は非常に低いですから、その無効確認を訴えても、裁判所は不適法として却下するでしょう。これに対して、いわゆる君が代訴訟で、学校の先生が、「卒業式や入学式で君が代を斉唱しろという命令の違法性」の確認を求めたことがあります。上告審（最三判平成23年6月22日）では訴訟自体が不適法とされたものの、第一審（横浜地判平成21年7月16日）は、学校で卒業式・入学式が行われ、そこで君が代が斉唱される可能性は非常に高いので、訴訟自体は適法と判断しました。

実際に、ある自衛官が、集団的自衛権を行使するための防衛出動命令（自衛隊法76条1項2号）は違憲であり、それに従う義務がないことの確認を求めて訴訟を提起したところ、存立危機事態での防衛出動命令が出る可能性がどの程度あるかが争点になりました。国としては、安保法制が必要な根拠として「安全保障環境が厳しくなり、安保法制が必要な状況がひっ迫している」と強調してきたわけですから、「そんな命令が出る可能性は低いです」とは言いにくいはずです。しかし、国は、「現時点で存立危機事態は発生しておらず、国際情勢に鑑みても、将来的に存立危機事態が発生することを具体的に想定し得る状況にはない」と主張しました（東京高判平成30年1月31日民集73巻3号272頁）。

ここで示された国の認識は、2018年2月14日の衆議院予算委員会で、枝野幸男議員から厳しく追及されることになりました。この訴訟は、存立危機事態の切迫度について、国の認識を明確にさせた点で重要な意義を持ったと言えるでしょう。

なお、裁判所（東京高判令和2年2月13日）は、国の主張を認め「不確定かつ抽象的なものにとどまるといわざるを得ないのであって、現に存立危機事態が発生し、又は近い将来存立危機事態が発生する明白なおそれがあると認めるには足りない」と判断しています。裁判所も、「存立危機事態の発生など切迫していないのではないか」という安保法制への批判を認めた、との評価もできるかもしれません。

第七章　自衛隊明記改憲について

それでは、いよいよ、自衛隊明記改憲を考えてみましょう。

1――自衛隊の合憲性に関する世論

安倍氏は、自衛隊明記改憲の目的として、自衛隊違憲論に終止符を打つことを掲げています。しかし、改憲という重大な手続きを経なければならないほど、国民の間に自衛隊違憲論が根付いているのでしょうか。

まず、内閣府の世論調査（2015年1月に実施された「自衛隊・防衛問題に関する世論調査」）によれば、現状の自衛隊について、「良い印象を持っている」と回答した人は92・2％です。自衛隊の防衛力について、「増強した方がよい」と回答した人が29・9％、「今の程度でよい」と回答した人が59・2％で、現在の自衛隊の防衛力について肯定的に捉える人は、合わせて89・1％に上っています。要するに、大半の国民は、自衛隊が必要だと考えていることがわかります。

さて、自衛隊必要派が多数である状況の下、もしも多くの国民が「自衛隊は違憲だ」と考えているならば、憲法9条改正派は多数派になるはずです。しかし、例えば、2016年の憲法記念日前後に行われた世論調査では、憲法9条改正に反対する人の方がかなり多いという結果が出ています。例えば、毎日新聞が2016年4月16〜17日に行った調査では、9条改正に反対52％・賛成27％となっています。2017年3〜4月の共同通信の世論調査（9条改正賛成49％・反対47％）のように賛否が拮抗する調査もありますが、近年の多くの世論調査は、9条改正の是非を問うた場合、改正反対が多数を占める傾向があります。

また、朝日新聞の2016年3月16日〜4月25日の世論調査では、69％の人が自衛隊の存在は合憲だと回答しています。ただ、集団的自衛権の行使を合憲とする解釈には、世論の十分な支持はありません。第六章1に紹介した2015年6月20〜21日に実施された共同通信の世論調査では、56・7％が安全保障関連法案は「憲法に違反していると思う」と回答しており、翌2016年3〜4月の朝日新聞の世論調査でも安保法制違憲の回答が

50％に対し、合憲は38％に止まっています。また、安保法制が成立してからしばらく経った２０１7年3月15日～4月24日の朝日新聞世論調査では、安保法制を合憲と考える人が41％、違憲と考える人が40％でした。安保法制に基づく自衛隊の海外派遣が実際には行われない中、合憲と考える人も増えてきたようですが、未だ拮抗しています。

以上に紹介した世論調査をまとめると、次ページの表**【自衛隊に関する世論調査】**のようになります。

要するに、多くの国民は、「個別的自衛権の行使や、そのための必要最小限度の実力である自衛隊の設置は憲法9条に違反しない」と考えています。これに対し、集団的自衛権の行使容認には、かなり強い違憲の疑いがある状態です。

そうだとするなら、多大なコストをかけてまで、自衛隊の合憲性を確認する改憲を行う必要は本当にあるのでしょうか。もしやる必要があるとするならば、「集団的自衛権の行使を容認するか否か」について、国民の意思を問うことではないでしょうか。２０１5年安保法制には、理論的な問題点が多々あり、国民の支持も高くはありません。２０１5年安保法制を今後も維持しようとするなら、改憲発議をして、それを追認するかどうかを国民に問うべきでしょう。

【自衛隊に関する世論調査】

1　自衛隊そのものへの意識

内閣府「自衛隊・防衛問題に関する世論調査」（平成27（2015）年1月8日〜1月18日） (https://survey.gov-online.go.jp/h26/h26-bouei/index.html)	
「全般的に見て自衛隊に対して良い印象を持っているか」	
良い印象を持っている	92.2% 「良い印象を持っている」41.4%＋「どちらかといえば良い印象を持っている」50.8%
悪い印象を持っている	4.8% 「どちらかといえば悪い印象を持っている」4.1%＋「悪い印象を持っている」0.7%
分からない	3%
「全般的に見て日本の自衛隊は増強した方がよいと思うか」	
増強した方がよい	29.9%
今の程度でよい	59.2%
縮小した方がよい	4.6%
分からない	6.3%

2　憲法９条の改正

共同通信（平成29（2017）年3〜4月）	
「九条改正」	
必要	49%
必要ない	47%
朝日新聞（平成29（2017）年3〜4月） (https://digital.asahi.com/articles/ASK4P5FJ0K4PUZPS00F.html?iref=pc_ss_date)	
「以下は、憲法第９条の条文です。（憲法９条条文は省略）憲法第９条を変えるほうがよいと思いますか。変えないほうがよいと思いますか。」	
変えるほうがよい	29%
変えないほうがよい	63%
NHK（平成29（2017）年3月）世論調査「日本人と憲法」 (https://www3.nhk.or.jp/news/special/kenpou70/yoron2017.html)	
「憲法９条の改正は必要か？」	
改正する必要があると思う	25%
どちらともいえない	11%

改正する必要はないと思う	57%
わからない・無回答	6%
毎日新聞（平成28（2016）年4月16日・17日）	
「憲法9条について」	
改正すべきだと思わない	52%
改正すべきだと思う	27%

3　自衛隊の合憲性

朝日新聞（平成28（2016）年3～4月）	
「あなたは、いまの自衛隊は、憲法に違反していると思いますか。違反していないと思いますか。」	
違反している	21%
違反していない	69%
その他・答えない	10%

4　集団的自衛権行使容認の合憲性

朝日新聞（平成29（2017）年3～4月）	
「安全保障関連法が、憲法に違反していると思いますか。憲法に違反していないと思いますか」	
違反している	40%
違反していない	41%
朝日新聞（平成28（2016）年3～4月）	
「あなたは、安全保障関連法が、憲法に違反していると思いますか。憲法に違反していないと思いますか。」	
違反している	50%
違反していない	38%
その他・答えない	12%
共同通信（平成27（2015）年6月20日～21日）	
「安全保障関連法案」	
憲法に違反していると思う	56.7%
違反しているとは思わない	29.2%

2　自衛隊明記改憲の難しさ

では、安倍首相の言う「自衛隊明記改憲」をまじめにやろうとすると、どのような発議をすることになるのでしょうか。

そもそも、憲法に「自衛隊を設置してもよい」と書くだけでは、「自衛隊を明記」したことにはなりません。なぜなら、「自衛隊」という名前の組織を置くことが明らかになるだけで、自衛隊が何をやる組織なのかが全く分からないからです。「自衛隊とは、災害の際に国民を救助したり復興を支援したりする組織だ」という人から、「自衛隊とは、侵略国が現れたときにそれを排除するための組織だ」という人、「自衛隊とは、個別的自衛権と集団的自衛権を行使する組織だ」という人、「自衛隊とは、外国の軍隊と同じ組織だ」という人まで、各々に「自分の理解が正しい」と主張し合って、収拾がつかなくなるでしょう。これでは、自衛隊違憲論に終止符を打つことなど、到底できません。

そうすると、自衛隊明記改憲を行う場合、「自衛隊が何をやる組織か」という任務の範囲を明記する必要があります。任務の書き方は、いくつかあり得ますが、いずれにせよ、集団的自衛権の行使容認の是非が問われます。そして、そのことは、安倍政権にとって、かなり厳しい事態をもたらします。この点を検討してみましょう。

（1）個別的自衛権限定型

第一は、「日本が外国から武力攻撃を受けた場合に必要最小限度の武力行使とそのための組織の設置を認める」という趣旨の書き方です。この書き方では、国際法上の個別的自衛権により正当化できる範囲でのみ武力行使を認め、かつ、それを超えた武力行使を認めないことになります。具体的には、日本が武力攻撃を受けた場合は防衛しますが、ベトナム戦争や湾岸戦争、イラク戦争のような場合に、日本が空爆や地上軍派遣に参加することはありません。

これは日本国民が広く支持してきた自衛隊の武力行使のラインです。この書き方で憲法改正を発議すれば、可決の可能性もあるでしょう。しかし、これで可決してしまうと、安倍政権が無理をしてまで成立させた集団的自衛権行使容認条項の違憲性が明確になってしまいます。「集団的自衛権行使は認められない」という国民の意思が、単なる世論調査ではなく国民投票によって明らかになったとなれば、２０１５年安保法制を推し進めた政権にとって、大きなダメージとなるでしょう。

（2）集団的自衛権行使容認明記型

第二の書き方として、日本が武力攻撃を受けた場合に加えて、「２０１５年安保法制で規定された集団的自衛権の限定行使のための武力行使も認める」と書いてはどうでしょうか。これが可決されれば、安保法制にかけられた違憲の疑いを払しょくできます。安倍政権としては、願ったり叶ったりでしょう。

しかし、これを可決させるのは、そう簡単ではありません。自衛隊を憲法に書くことに賛成する人でも、「集団的自衛権の行使容認を憲法に明記すること」に賛成してくれるとは限りません。集団的自衛権の行使容認には、いまだに反対の声が根強いのです。例えば、朝日新聞の世論調査によると、２０１６年４月16～17日の調査では、安保法制に賛成31%・反対42%、２０１７年３月15日～４月24日の調査でも、賛成41%・反対47%と、反対が賛成を上回る状況が続いています。

こうした中で、集団的自衛権行使容認を明記した改憲案を発議しても、２０１５年の反対運動が再び盛り上がることにもなるでしょう。可決の見通しは明るくはありません。そして、もしも改憲案が否決されれば、国民投票で２０１５年安保法制が否定されたことになり、集団的自衛権行使容認は撤回せざるを得ないでしょう。

また、２０１５年安保法制を憲法に書き込もうとする場合には、その内容の曖昧さも問題となります。第六章4で、2015年安保法制の問題点として、自衛隊法に新設された存立危機事態条項が意味不明であることを指摘しました。「我が国の存立」云々という文言を憲法に書いても、意味が分からないのは同じです。それを書き込んだ憲法条項を発議しても、国民は判断に困るばかりでしょう。もし可決されたとしても、「集団的自衛権を認めたのだ」という人と、「個別的自衛権としか読めない」という人が出てきて、憲法解釈をめぐる混乱が大きくなるだけです。

(3) 国防軍創設型

では、第三の書き方として、国際法上許された武力行使は全て解禁するとの改憲発議をしてはどうでしょうか。日本の自衛の範囲を超えて、国際法上許されるすべての武力行使に参加する組織は、9条2項が持たないと宣言する「軍」に該当します。したがって、この改憲発議には、9条2項を削除して、軍を持つことを明記する改憲も伴う必要があります。また、行政機関とは異なる軍事機関を新設するのですから、「第四章　国会」「第五章　内閣」「第六章　司法」に続けて、「第七章　軍事（または、国防軍）」の章を設けて、国防軍をどのように統制していくのかも憲法に書き込む必要が出てくるでしょう。

この書き方は、何をやろうとしているのか、内容は明確です。さらに、可決できれば、

２０１５年安保法制も問題なく追認されたことになるでしょう。

しかし、世論の支持は強くありません。また、改憲発議の段階でも、自民党以外の賛成を取り付けるのは難しいと言われます。このため、現在のところ、この案で可決するのは不可能と言ってよいでしょう。

３―任務曖昧化作戦

このように、自衛隊の任務の書き方として、①個別的自衛権の範囲に限定、②存立危機事態での武力行使容認も明記、③武力行使の全面解禁と三つの方法が考えられますが、いずれも安倍政権にとって厳しい帰結が待っています。こうした状況を前提にしたとき、安倍政権や自民党は、どんな手を取るのが最善でしょうか。おそらく、次のような改憲発議でしょう。

①任務の範囲は明記せず、あるいは曖昧にして、「自衛隊を設置してよい」という趣旨の規定だけ書いて発議する。

②これにより、個別的自衛権までの自衛隊を明記するなら賛成だが、集団的自衛権の行

使容認までは賛成できないという人の賛成をとりつける。
③可決後に、2015年安保法制を前提とした「自衛隊の現状」が国民投票で認められたと言い出す。

実際、自民党内での議論は、集団的自衛権をめぐる議論が激化するのを避けるため、具体的な任務の範囲を明記しない方向で検討が進められていると言います。

しかし、このような「任務を曖昧にして国民投票」作戦は、あまりに卑怯でしょう。国会は、憲法改正を発議するなら、国民に何を問うべきかを明確にすべきです。

4　あるべき自衛隊明記改憲の方法

以上を踏まえたとき、自衛隊明記改憲をやるとすれば、どのようにやるべきでしょうか。

まず、自衛隊の任務の範囲を明記することが最低限必要です。また、2015年安保法制の存立危機事態の条文は、意味が曖昧すぎるので、より明確な形で書き直す必要があるでしょう。

また、序章2に見たように、国会法68条の3は、改憲発議を行う場合には、「内容において関連する事項ごとに区分」するように定めています。個別的自衛権と集団的自衛権とは、目的も行使要件も全く異なりますから、①「個別的自衛権の行使を認めるべきかどうか」と、②「集団的自衛権の行使も併せて認めるべきか」という論点は、それぞれ別の論点として考えるべきでしょう。

そうすると、自衛隊明記改憲は、〈第一投票：日本が武力攻撃を受けた場合に、防衛のための武力の行使を認めるかどうか〉と〈第二投票：日本と密接な関係にある他の国が武力攻撃を受けた場合に、一定の条件の下で武力行使を認めるかどうか〉の二つに区分した投票をすべきです。

このように発議をすれば、絶対護憲の人は「両方×」、個別的自衛権までの自衛隊明記に賛成の人は「第一投票○、第二投票×」、集団的自衛権も認めるべきと考える人は「両方○」と投票すればよく、どのように投票すればいいかは明確になります。そして、第二投票が否決された場合は、潔く2015年安保法制は修正すべきでしょう。

5 ― 安倍提案への便乗

ここまで論じたように、安倍氏の提案には様々な問題があり、改憲をめぐる議論は非常に混乱していますが、この混乱に拍車をかけているのが、この提案に便乗して、百鬼夜行のように次々と登場する、奇妙な持論を声高に主張する論者たちです。自民党の改憲発議には影響を与えそうにもないのですが、マスメディアで取り上げられることで、国民に誤解を与えてしまうのは困るので、この点を補足しておきましょう。

憲法9条と自衛隊に関わる議論が盛り上がること自体は、悪いことではありません。しかし、驚くべきことに、そこで持論を披瀝《ひれき》開陳する人の多くが、政府解釈や憲法体系を全くと言っていいほど理解していないのです。現在の憲法を理解しない人々が、その改正を語れるはずがありません。彼らの議論は、有害無益です。

(1) 自衛隊合憲説は欺瞞か?

まず、自衛隊を合憲としてきた政府解釈を「欺瞞」との表現を使って、「自衛隊は違憲に決まっている」と批判する見解があります。これまで説明したように、憲法9条だけを見れば、自衛隊という実力組織があることには違和感があるでしょう。しかし、政府の解釈は、憲法9条だけでなく、国民の生命や自由を最大限尊重するとした憲法13条なども引用しながら組み立てられたものです。それを欺瞞と評するのは、「外国による侵略で国民の生命・自由が奪われるのを放置することも、憲法13条に反しない」との前提に立つことになります。そちらの方が、よほど無理な解釈ではないでしょうか。

さらに、仮に自衛隊が違憲だと本当に思うなら、今すぐに自衛隊解体を主張しなければならないはずです。しかし、「自衛隊は絶対に違憲だけど、日本のために必要だから、改憲すべき」との論者は、自衛隊の即時解体までは主張しません。それが「欺瞞」でなくて、何でしょうか。

（2）軍法・軍法会議問題

また、安倍氏の提案に便乗する形で、この機会に、軍法・軍法会議の規定を憲法に盛り込もうと提案する人がいます。軍法とは、軍隊の活動に関する法律のこと、軍法会議とは、軍法を適用するための特別の法廷のことです。軍隊の活動を評価するためには、兵器や部隊運用についての専門的知識が必要です。また、秘密保持の観点から、非公開にせざるを得ない証言などもあるでしょう。そこで、軍法会議という特別の法廷を設ける国もあります。

しかし、自衛隊法等、自衛隊員を規律する罰則付きの法律は既にあります。規律が不十分だというなら、自衛隊法やＰＫＯ協力法を改正すればよいのです。それを「軍法」という名前で呼ぶことに拘泥する理由はどこにもありません。

また、現行憲法でも、家庭裁判所や知的財産高等裁判所のように、法解釈に関する最高裁への上訴権を認めた上で、専門裁判所を設置することは禁止されません。法定での秘密保持についても、憲法82条2項本文は「裁判所が、裁判官の全員一致で、公の秩序又は善良の風俗を害する虞があると決した場合には、対審は、公開しないでこれを行ふことができる」とします。他の行政組織と異なる専門判断が必要だというなら、防衛裁判所も設置すればよいでしょう。それを「軍法会議」と名付けることに意味はありません。

軍法・軍法会議を云々する人は、日本の法体系への基礎的理解を欠くと言わざるを得ません。単に「軍法」という響きに酔っているだけではないでしょうか。

現在の自衛隊は、あくまで行政組織の一つとして活動しているということを、しっかりと理解すべきです。「大きな武器を持っていたら軍隊」と考えるのは、あまりにナイーブな議論です。行政組織か軍事組織かは、その装備の軽重によって決まるものではありません。その活動の目的・内容によって決まるのです。

(3) 芦田修正説の復活?

他方、安倍提案に対し、「そもそも現行憲法でも、集団的自衛権の行使や安保理決議に基づく国連軍・多国籍軍への参加など、国際法上合法な武力行使はすべて可能であり、また、それを全面解禁すべきだ。よって、改憲は必要ない」と主張する人もいます。

これは、政府は、憲法9条の武力行使一般禁止説を撤回し、芦田修正説ないし類似の見解を採るべきだとする主張です。しかし、第二章4に見たように、軍事権がカテゴリカルに消去された日本国憲法下では、そのような見解を採るのは難しいでしょう。「憲法9条で禁じられない」という理由だけで軍事作用を認めれば、軍事権限行使の責任の所在や手続きを憲法で統制できないことになります。だからこそ政府は、行政の範囲を超えた軍事作用を営むことは憲法上不可能と考えてきたのです。

「憲法9条は集団的自衛権の行使なども禁じていない」と主張する人は、統治機構論の体系的な理解に欠け、視野が狭すぎると言わざるを得ません。

正しい前提知識に基づかない議論は有害無益です。報道関係者も含めて、まずは、正しい知識を確認する必要があるでしょう。それができて初めて、「改憲の必要があるのか」を議論するスタート地点に立つことができるのです。

第七章補足

専守防衛と集団的自衛権

本書第一版が出版されて以降も、自衛隊明記改憲の是非は議論されてきましたが、特に新しい論点は付け加わっていません。

自衛隊を明記するなら、その任務の範囲も憲法に書き込む必要があります。安保法制を前提とするなら、集団的自衛権に基づく武力行使も任務の範囲と書かざるを得ません。このため、「自衛隊明記改憲」は、結局、「集団的自衛権明記改憲」となり、集団的自衛権の是非が改憲の争点となるはずです。それを隠して、「自衛隊を明記するだけです」と表現するのは卑怯ですし、後々禍根を残します。

ところで、ウクライナ侵攻後の世論調査で、興味深い結果が出ていたので紹介しましょう。

これまで日本の防衛政策は、憲法9条を前提に「専守防衛」という方針で組み立てられてきました。専守防衛とは、「相手国から武力攻撃を受けたときに初めて防衛力を行使し、その態様も自衛のための必要最小限にとどめ、また、保持する防衛力も自衛のための必要最小限のものに限るなど、憲法の精神にのっとった受動的な防衛戦略の姿勢」と定義されます。

これを踏まえたとき、集団的自衛権に関する最新の世論調査は、理解に苦しみます。具体的に説明しましょう。

朝日新聞が2022年3月末から4月上旬に行った世論調査では、「15年に成立した安全保障法制で自衛隊は集団的自衛権を限定的に行使できるようになったが、米国と日本周辺国との間で戦争が起きた場合、どうするべきだと思うか」を聞いたところ、「行使するべきだ」が21%、「どちらかと言えば行使するべきだ」が37%で、過半数が前向きな回答をしています（朝日新聞デジタル2022年5月3日「不安定な世界、憲法は　朝日新聞社世論調査」）。

集団的自衛権の行使とは、日本への武力攻撃がなくても武力を行使することですから、「専守防衛」政策を逸脱します。そうだとすると、集団的自衛権の行使について積極的な回答をする人々は、専守防衛の是非について聞かれた際に、「これを変えるべき」という回答をするはずです。

ところが、同じ世論調査で、「相手から攻撃を受けたときに初めて反撃する『専守防衛』という日本政府の方針」について聞いたところ、「今後も維持するべきだ」が68%に上り、「見直すべきだ」と回答した28%を大きく上回っています（朝日新聞デジタル2022年5月3日『改憲して対応』59%　緊急事態に国民の権利一時制限」）。この世論調査は、集団的自衛権の行使容認と専守防衛の関係について、国民が十分に整理できていないことを示しているように思います。

朝日新聞の集団的自衛権に関する質問は、ロシア・北朝鮮・中国などの「日本の周辺国」と「アメリカの戦争」の場合としています。そうした状況では、日本国内にある米軍基地が攻撃対象から外れることは想定し難いので、この質問が、「日本が武力攻撃を受けていない場合に、こちらから攻撃をする」という意味では受け取られなかった可能性はあります。ただ、そういう意味で受け取られなかったこと自体が、集団的自衛権や専守防衛の定義を十分に浸透していないことを示してしまいます。

なぜ国民が正確に理解できないのか。その原因は、政府がきちんと説明をしていないところにあると言えます。集団的自衛権の性質からすれば、政府は「この安保法制は専守防衛政策を変更するものです」ときちんと説明すべきでした。しかし、政府は、集団的自衛権の行使容認は、専守防衛に反しないとしているのです。

例えば、2015年5月19日の長妻昭議員の質問への答弁書では、①『専守防衛』とは、相手から武力攻撃を受けたとき初めて防衛力を行使」する姿勢をいうとしつつ、存立危機事態での武力行使は②「他国に対する武力攻撃の発生が前提であり、また、他国を防衛することと自体を目的とするものではない」ので、専守防衛の範囲内だとしています。しかし、①「相手から武力攻撃」とは、「日本への武力攻撃」を意味しているわけで、②他国への武力攻撃があるから専守防衛の範囲内だという説明は成り立たないでしょう。

第八章　緊急事態条項について

前章までで、自衛隊明記改憲についての前提知識や問題、あるべき方法について一通りの確認ができました。第八章・九章では、自衛隊明記以外に、改憲論として話題になっていることを検討してみたいと思います。

まず、自衛隊明記と並んで重要な影響がありそうな、緊急事態条項について考えましょう。

1―自民党草案の緊急事態条項

自民党は2012年に発表した憲法改正草案で、戦争・内乱・大災害などの場合に、国会の関与なしに内閣が法律と同じ効力を持つ政令を出す仕組みを提案しています。
この時示された具体的な条文は次のようなものでした。

【自由民主党改憲草案　2012年】

第98条（緊急事態の宣言）

1　内閣総理大臣は、我が国に対する外部からの武力攻撃、内乱等による社会秩序の混乱、地震等による大規模な自然災害その他の法律で定める緊急事態において、特に必要があると認めるときは、法律の定めるところにより、閣議にかけて、緊急事態の宣言を発することができる。

2　緊急事態の宣言は、法律の定めるところにより、事前又は事後に国会の承認を得なければならない。

3　内閣総理大臣は、前項の場合において不承認の議決があったとき、国会が緊急事態の宣言を解除すべき旨を議決したとき、又は事態の推移により当該宣言を継続する必要がないと認めるときは、法律の定めるところにより、閣議にかけて、当該宣言を速やかに解除しなければならない。また、百日を超えて緊急事態の宣言を継続しようとするときは、百日を超えるごとに、事前に国会の承認を得なければならない。

4　第二項及び前項後段の国会の承認については、第六十条第二項の規定を準用する。この場合において、同項中「三十日以内」とあるのは、「五日以内」と読み替えるものとする。

第99条（緊急事態の宣言の効果）

1　緊急事態の宣言が発せられたときは、法律の定めるところにより、内閣は法律と同一の効力を有する政令を制定することができるほか、内閣総理大臣は財政上必要な支出その他の処分を行い、地方自治体の長に対して必要な指示をすることができる。

2　前項の政令の制定及び処分については、法律の定めるところにより、事後に国会の承認を得なければならない。

3　緊急事態の宣言が発せられた場合には、何人も、法律の定めるところにより、当該宣言に係る事態において国民の生命、身体及び財産を守るために行われる措置に関して発せられる国その他公の機関の指示に従わなければならない。この場合においても、第十四条、第十八条、第十九条、第二十一条その他の基本的人権に関する規定は、最大限に尊重されなければならない。

4　緊急事態の宣言が発せられた場合においては、法律の定めるところにより、その宣言が効力を有する期間、衆議院は解散されないものとし、両議院の議員の任期及びその選挙期日の特例を設けることができる。

98条は、緊急事態宣言を出すための要件と手続きを定めています。具体的には、「法律で定める緊急事態」になったら、閣議決定で「緊急事態の宣言」を出せ（98条1項）、緊急事態宣言には、事前又は事後の国会の承認が要求されます（98条2項）。

何気なく読むと、大した提案ではないように見えるかもしれませんが、この条文はかなり危険です。

まず、緊急事態の定義が法律に委ねられており、緊急事態宣言の発動要件は極めて曖昧です。その上、国会承認は事後でも良いとされていて、手続的な歯止めはかなり緩いと言わざるを得ません。これでは、内閣が「緊急事態宣言が必要だ」と考えさえすれば、かなり恣意的に緊急事態宣言を出せることになってしまいます。

では、緊急事態宣言はどのような効果を持つのでしょうか。要件・手続がこれだけ曖昧で緩いのですから、通常ならば、それによってできることは厳しく限定されていなければならないはずです。しかし、草案99条で規定された緊急事態宣言の効果は強大です。四つのポイントを確認しておきましょう。

第一に、緊急事態宣言が出されている時には、内閣は、「法律と同一の効力を有する政令を制定」できます。つまり、国民の代表である国会の十分な議論を経ずに、国民の権利を制限したり、義務を設定したりすること、あるいは、統治に関わる法律内容を変更することが、内閣の権限でできてしまうということです。例えば、刑事訴訟法の逮捕の要件を変える政令を作り、「裁判所の令状がなくても、内閣が逮捕すると決めれば逮捕できる」という制度にすることも可能です。あるいは、裁判所法を変える政令を制定して、「政府を相手に裁判をするには、内閣の許可を必要とする」という制度にしてしまえば、内閣にとって不都合な裁判はできなくなってしまいます。

第二に、予算の裏付けなしに、「財政上必要な支出その他の処分」を行うことができます。通常ならば、予算の審議を通じて、行政権が適性に行使されるよう国会がチェックします。しかし、この規定の下では、国会の監視が及ばないまま、不公平に復興予算をばらまくといった事態も生じ得ます。

第三に、「地方自治体の長に対して必要な指示をすることができる」ようになります。つまり、地方自治を内閣の意思で制限できるということです。例えば、首相の意に沿わない自治体の長に「辞任の指示」を出すような事態も考えられます。実際、ワイマール憲法下のドイツでは、右翼的な中央政府が、緊急事態条項を使って社会民主党系のプロイセン政府の指導者を罷免したりしました。今の日本に例えると、安倍内閣が、辺野古基地問題で対立する翁長《おなが》沖縄県知事を罷免するようなものでしょうか。

第四に、緊急事態中は、基本的人権の「保障」は解除され、「尊重」に止まることになります。つまり、内閣は「人権侵害をしてはいけない」という義務から解かれ、内閣が「どうしても必要だ」と判断しさえすれば、人権侵害が許されることになってしまいます。これはかなり深刻な問題です。政府が尊重する範囲でしか報道の自由が確保されず、土地収用などの財産権侵害にも歯止めがかからなくなるかもしれないのです。

以上をまとめるとこうなります。まず、内閣は、曖昧かつ緩やかな条件・手続の下で、緊急事態を宣言できます。そして、緊急事態宣言中、三権分立・地方自治・基本的人権の保障は制限され、というより、ほぼ停止され、内閣独裁という体制が出来上がります。これは、緊急事態条項というより、内閣独裁権条項と呼ぶべきでしょう。

2 多数の国が採用？

このように見てくると、憲法に強い関心を持っていない人でも、この条文は相当危険だということが分かるでしょう。

しかし、安倍首相は、こうした緊急事態条項は、「国際的に多数の国が採用している憲法の条文」であり、導入の必要が高く、また濫用の心配はないと言っています（2016年1月19日参議院予算委員会）。これは本当でしょうか。外国の緊急事態条項と比較してみましょう。

(1) 事前に定める緊急事態法令

一般論として、戦争や自然災害が「いつ起こるか」は予測困難ですが、「起きた時に何をすべきか」は想定可能です。そうした予測を基に、誰が、どんな手続きで何をできるのかを事前に定めることは、安全対策としてとても重要でしょう。そして、警報・避難指示・物資運搬等の規則を細かく定めるのは、国家の基本原理を定める憲法ではなく、個別の法律の役割です。このため、外国でも、戦争や大災害などの緊急事態には、事前に準備された法令に基づき対応するのが普通です。

例えば、アメリカでは、災害救助法（1950年）や国家緊急事態法（1976年）などが、緊急時に国家が取りうる措置を定めています。また、1979年に、カーター政権の大統領令により、連邦緊急事態管理庁（FEMA）という専門の行政組織が設置されました。FEMAが災害対応に関係するいろいろな機関を適切に調整したことで、地震やハリケーンなどの大災害に見事に対処できたと言われています。フランスでは、1955年に緊急事態法が制定されており、政府が特定地域の立入禁止措置や集会禁止の措置をとることができます。後述するように、フランスには憲法上の緊急事態条項も存在しますが、２０１5年末のテロの際には、憲法上の緊急事態条項ではなく、こちらの法律を適用して対処しました。

(2) 憲法上の緊急事態条項の内容

では、憲法上の緊急事態条項は、どのような場合に使われるのでしょうか。

まず前提として、多くの国の憲法は、国会の独立性を確保したり、国会で十分な議論がなされるように制度を整えたりするなど、立法に慎重な議会手続きを要求していることを理解して下さい。立法手続きが慎重だということは、悪く言えば面倒くさいということです。なぜそんな面倒くさいことを我慢してやっているのかと言えば、良い立法をするためです。政府の意のままに国会が立法したのでは、権力分立の意義が失われ、国民の権利が侵害される危険が高まるでしょう。

ですから、憲法に緊急事態条項を置く国でも、政府に緊急時の立法権を委ねているとは限りません。例えば、アメリカ憲法では、大統領は、原則として議会招集権限を持ちませんが、緊急時には議会を招集できるとされます（合衆国憲法2条3節）。また、ドイツでは、外国からの侵略があった場合に、州議会から連邦議会に権限を集中させたり、上下両院の議員からなる合同委員会が一時的に立法権を行使したりできます（ドイツ連邦共和国基本法10a章）。これらの憲法は、緊急時に、通常とは異なる立法手続きをとることを認めていますが、政府に立法権を直接に与えているわけではありません。大統領に議会招集権を与えることで国会の独立性を緩和させたり、立法に関わる議員の数を減らすことで迅速さを優先させたりしているに過ぎないのです。

また、フランスや韓国には、確かに、大統領が一時的に立法に当たる権限を含む措置をとれるとする規定があります。しかしその権限を行使できるのは、「国の独立が直接に脅かされる」（フランス第五共和制憲法16条）とか、「国会の招集が不可能になった場合」（大韓民国憲法76条）に限定されています。あまりに権限が強いので、その権限を行使できる場面をかなり厳格に限定しているわけです。フランスは2015年末のテロの際に緊急事態宣言を出しましたが、それが憲法上の緊急事態宣言ではなかったのには、こうした背景があります。

まとめると、アメリカ憲法は、大統領に議会招集権限を与えているだけですし、ドイツ憲法も、議会の権限・手続の原則を修正するだけであって、政府に独立の立法権限を与えるものではありません。また、フランスや韓国の憲法規定は、確かに一時的な立法権限を大統領に与えているものの、その発動要件はかなり厳格で、そうそう使えるものではありません。

これに対し、先ほど述べたように、自民党草案の提案する緊急事態条項は、発動要件が曖昧な上に、政府の権限を不用意に拡大しています。こうした緊急時独裁条項を「多数の国が採用している」というのは、明らかに誇張でしょう。自民党草案のような内閣独裁条項は、比較法的に見ても異常だと言わざるを得ません。

3―日本国憲法には緊急事態条項がない？

実は、日本国憲法には、緊急事態条項がないという指摘も、そもそも不正確です。戦争や災害の場合に、国内の安全を守り、国民の生命・自由・幸福追求の権利を保護する権限は、内閣の行政権に含まれます（憲法13条、65条）。したがって、必要な法律がきちんと定められていれば、内閣は十分に緊急事態に対応できるはずです。

また、緊急事態対応に新たな法律が必要なら、内閣は、国会を召集し（憲法53条）、法案を提出して（同72条）、国会の議決を取ればよいはずです。アメリカ憲法と異なり、日本は、内閣に国会召集権が認められているので、議会招集についての緊急事態条項はいりません。

さらに、衆議院が解散中でも、参議院の緊急集会が国会の権限を代行できるとされます（憲法54条2項）。しかも、参議院は半数改選制度を採っているので、国会議員が不在になることは、制度上あり得ません。誰もが必要だと思う法案なら、国民の代表である国会が邪魔をすることもないでしょう。実際、東日本大震災の時には、当時の野党だった自民党や公明党も、激しく対立していた菅民主党政権に相当の協力をしました。

その上、緊急事態については、既に詳細な法律規定が整備されています。侵略を受けた場合には武力攻撃事態法、内乱には警察官職務執行法や自衛隊の治安出動条項、災害には災害救助法や災害対策基本法があります。災害対策基本法109条には、状況に応じて、災害供給不足の「生活必需物資の配給又は譲渡若しくは引渡しの制限若しくは禁止」や「災害応急対策若しくは災害復旧又は国民生活の安定のため必要な物の価格又は役務その他の給付の対価の最高額の決定」、「金銭債務の支払」延期などに関する政令制定権限までもが定められているのです。

これらの規定は、かなり強力な内容です。過剰だという評価はあっても、これで不足だという評価はあまり聞かれません。阪神淡路大震災や東日本大震災を経て、緊急時の対応のために様々な提案がなされていますが、現在の備えに不備があるなら、まずは法律改正を提案すべきでしょう。その上で、必要な法案が現憲法に違反するということになって初めて、憲法改正を争点とすべきです。具体的な法律の精査なしに、漠然と「今のままではダメなのだ」という危機感をあおる改憲提案は危険です。

4― 緊急事態における国会議員の任期延長

自民党草案99条4項では、緊急時の国会議員の任期延長について規定されています。東日本大震災のときは、大災害と統一地方選挙が重なり、予定通りに選挙が実施できない地域もありました。

地方選挙については、憲法に細かい任期が書かれていないので、特例法を制定して乗り切ることができました。しかし、国政選挙の場合には、憲法に任期が明記されているので、特例法での対応には違憲の疑いがあります。

そうした意味で、この改憲提案には、検討の余地があります。ただ、単純に、任期延長特例法の規定を設ければよいかというと、そうでもありません。この点については、２０１７年３月16日の衆議院憲法審査会で、枝野幸男議員が次のような指摘をしています。

【衆議院憲法審査会　２０１７年３月16日　枝野幸男議員発言】

緊急事態における衆議院議員等の任期延長を議論すべきという意見は、検討に値すると思います。東日本大震災の際に被災地の地方選挙を延期しましたが、これは法律で対応可能でした。しかし、国政選挙の場合には、憲法上の根拠が必要になるのは確かです。

もっとも、検討すべき事項は複雑かつ広範にあり、そう単純に結論を出せる問題ではありません。内閣が一方的に任期延長できるというのは論外としても、国会がみずから自分たちの任期を延長するというのはお手盛りとなりかねず、単純に過半数で認めればよいというわけにはいかないでしょう。

また、極端な場合、衆議院が解散された後に緊急事態が生じた場合にどうするのでしょう。既に解散で一度失職した議員の資格が復活するのでは、権力の正統性に実質的な意味で著しい疑義が生じます。

任期延長の特例を認める場合、その判断を誰の権限とするかが問題となります。もしも内閣だけの判断でできるとすれば、自分たちに都合のよい議会構成を延命させる危険があります。枝野議員が言うように、これは「論外」でしょう。では、国会の判断に委ねてはどうでしょうか。この場合、今度は、自分たちの任期を自分たちで延ばせてしまう「お手盛り」の問題が起きます。さらに、枝野議員は、衆議院解散後の場合には、任期が既に失われている以上、「延長」しようがないという問題も指摘します。

そうすると、緊急時の議会任期延長を認めるためには、内閣や国会から独立した組織、たとえば裁判所に判断を委ねたり、チェックさせたりする仕組みを導入する必要があるでしょう。

この点では、現在の最高裁判所の違憲立法審査権（憲法81条）でコントロールする方法もあり得るかもしれません。ただ、この方法について、長谷部恭男教授は、高度に政治的な問題については司法判断を避けるべきだとする統治行為の理論に基づき、最高裁が緊急事態条項の適用に関する判断を回避する危険を指摘します（同「緊急事態条項」樋口陽一・山口二郎編『安倍流改憲にNOを！』岩波書店・2015年）。

一般論として、国家権力の濫用を防ぐためには、誰かに強力な権限を持たせるときには、それを監視できるだけの強力な権限を他の者に持たせざるを得ません。緊急事態条項を導入するなら、同時に、内閣や国会からの強い独立性を持つ憲法裁判所を設置したり、統治行為論を否定する憲法条項を導入したりするなど、司法審査を強化することも考えなくてはならないのです。

自民党草案99条4項のような提案の仕方は、あまりにバランスを欠くでしょう。

5　緊急事態対策の対案を

もちろん、以上の議論は、日本国の非常事態への備えが十分だということを意味しません。いくら非常時の対応を定めた法律があっても、政府や自治体、国民が上手に使いこなせなければ、絵に描いた餅になってしまうでしょう。また、ミサイルだろうが、大地震だろうが、それに対応するには、食糧の備蓄や緊急用の非常電源が欠かせません。

こうした非常事態への備えの中で、特に、考えてほしいのが居住の問題です。居住福祉学が専門の早川和男教授は、阪神大震災について、次のように述べています。

【居住福祉と阪神大震災】

1995年1月17日、阪神・淡路を大震災が襲った。この震災は多くの問題をあらわにしたが、とりわけ人間が生きていくうえでの住居の大切さを極端なかたちで示した。

……この地震は強度からいえば中規模であったといわれる。それがなぜこのような大災害につながったのか。

死亡原因は、家屋による圧死・窒息死88%、焼死10%、落下物2%。家が倒れなければなかった犠牲である。出火も少なかったはずである。どこからか火が押し寄せてきても逃げることができたであろう。道路が広くても家が倒れたならば助からない。

（早川和男『居住福祉』岩波新書・1997年　18頁）

阪神大震災の一年前に戻れるなら、自民党草案のような憲法条項を作るよりも、個々の住居を災害に強いものにする方が、はるかに多くの命を救えるはずです。非常事態に強い国を本気で作りたいなら、法律を使いこなすための避難訓練の実施、食糧備蓄・発電設備の充実、各自治体への災害対策用の予算・設備の援助、居住福祉の確保といったことが必要になるはずです。

内閣独裁権条項の提案は、提案としては問題外にしても、緊急事態への備えを議論する良いきっかけにはなるでしょう。この提案に反対する政治家や市民は、内閣独裁権条項の危険性を指摘するのと同時に、「本当に必要な緊急事態対策」をどんどん提案し、「対案」をぶつけて行くべきではないでしょうか。緊急事態条項を提案する人たちは、自分たちで緊急事態対応が必要だと言い出した手前、「対案」を出されたら真剣に検討せざるを得ません。そして、その「対案」が一つひとつ実現して行けば、将来の犠牲者を確実に減らすことができるのです。

第八章補足

コロナ対策と緊急事態条項

2020年に始まった新型コロナウイルス感染症（Covid19）のパンデミック対応に関連して、憲法に緊急事態条項が必要ではないか、という議論が盛り上がりました。確かに、政府の対応にはいろいろと問題もあり、「何かを変えなければ」という感想が出てくるのも致し方ない面があります。もっとも、「憲法の緊急事態条項」が、パンデミック対応のための適切な処方箋になるかは、疑わしいように思います。話を整理しておきましょう。

第八章で解説したように、「憲法の緊急事態条項」といっても、様々な種類があります。例えば、緊急時に内閣が国会を召集できたり（憲法53条本文）、衆議院の解散時に参議院が緊急集会を開けたり（憲法54条2項但書）といった規定も、「緊急事態条項」の一種ですから、日本国憲法にも緊急事態対応の規定はあるのです。

それを考えると、「緊急事態条項が必要」と言っている人たちが何を想定しているのかはよく分からないところもありますが、一連の議論を見ていると、要するに「本来、国会での丁寧な審議を通じて決めなければいけないことについて、緊急事態を宣言することで、内閣や首相限りの判断で決めることを可能にする規定」をイメージしているようです（そうした緊急事態条項の危険性については、石田勇治・木村草太「歴史に学ぶ緊急事態条項の危険性」「現代思想」202

2年3月号も参照)。

ここで、なぜ、憲法が国会で決めるべきことを定めているのかを確認しておきましょう。国家を運営するには、様々なことを決める必要があります。国の方向性を決める機関として真っ先に浮かぶのは国会ですが、国が担う役割はあまりに膨大ですから、全てを国会が決めるのは不可能です。そこで憲法は、国会が法律で定めるべきなのは、国政の重要事項だとしました。法律で定めるべき重要事項を「法律事項」と言います。

法律を定めるには、国会の議決が必要です。国会では、提案者から法案について丁寧な説明がなされ、国民の代表が慎重に審議したうえで採決がなされます。国会の審議過程は公開され、正確な議事録が保存されます。国会での手続きには時間がかかりますが、十分な議論をし、記録を残すことで、その法律がどんな目的で制定されるのか、法律の内容は目的の実現にとって最適なものと言えるのか、その法律によって不利益を受ける人への配慮はなされているか、などを事前にも事後にもチェックできるのです。

最近見かける緊急事態条項の提案は、国会での審議過程をすっとばして、内閣や首相だけで法律事項を決めてしまおうという提案です。一見すると、そうした規定があれば、パンデミックが起きたときに迅速な対応ができるように思うかもしれません。しかし、新型コロナウイルスに対する一連の対応は、「内閣や首相限りの迅速な重要事項の決定」が必ずしも妥当な結果にならないことを示しているように見えます。

例えば、２０２０年2月27日に安倍晋三首相（当時）が出した「全国一斉休校要請」について考えてみましょう。

この時点の法律を順守するならば、感染症対策のために学校に休校要請をするには、①新型コロナウイルス感染症に新型インフルエンザ等対策特別措置法（特措法）を適用することを決め、②特措法32条（当時）に基づき全都道府県に緊急事態宣言を出し、③特措法45条（当時）に基づき各都道府県対策本部長（各都道府県の知事）から休校要請を行う、という手続きが必要でした。しかしこの当時、政府は、新型コロナウイルス感染症には特措法は適用できないという立場でしたから（①を認めるように特措法が改正されたのは、同年3月13日のことです）、首相が全国の学校に休校を要請する権限を定めた法律は存在しませんでした（ちなみに、現在の特措法でも、休校要請は知事の権限なので、首相が直接学校に要請する手続はありません）。

安倍首相の全国一斉休校要請は、根拠となる法律なしに、また、議会に諮ることなしに行われました。もしも憲法に緊急事態条項があったならば、こうした首相による独断的な対応はより頻繁に取られることになるでしょう。

しかし、あの休校要請の判断は適切だったとは思えません。休校要請はあまりにも唐突で、学校関係者や保護者を混乱させ、子どもたちの学習機会を奪いました。専門家への相談も不十分だったため、感染者が出ていない地域からみたら、明らかに過剰な対応だったでしょう。首相やその周辺が半ば独断的に決定したものとして、他に、布マスク2枚の配布や全国民への10万円給付があります。日本ではマスクの有効性が強調されていますが、そこで推奨されているのはあくまでも不織布マスクであって、布マスクの配布が有効な対策とは評価されていません。また、10万円の一律給付も、ありがたいと言えばありがたいのですが、お金に困っていない人にはあまり必要性がなく、他方でコロナで困窮した人にとっては足りないという帰結になりました。限りある国家予算を使っての給付ですから、本当に必要としている人に向けて十分な給付をすべきだったでしょう。

こうしてみてみると、パンデミック対策のために、首相・内閣が独断で行った措置の中には、効果の点で首をかしげてしまうものも多かったと言えそうです。これを教訓に、憲法にパンデミック対応のための緊急事態条項を作るなら、必要なのは、首相・内閣の独断条項ではありません。専門家の意見を適切に聴取したり、決定過程を国民や国会に適切に説明したりする手続、あるいは、緊急時だからこそきちんと決定過程を記録に残し、事後的に対応を厳しく検証したりする規定だということになるでしょう。

第九章　その他の改憲提案について

最後に、今、話題となっている、その他の改憲提案について考えてみたいと思います。

1 ― 教育無償化

まず、2017年5月3日、安倍首相は、自衛隊明記改憲に並び、幼児教育・高等教育の無償化を憲法条項に加えようと提案しました。この提案は、もともと、2016年7月の参議院選挙で、日本維新の会が公約に掲げたものです。憲法改正には、衆参両院で総議員の3分の2の賛成が必要ですが、2017年時点の自民・公明両党の参議院議員の議席数は3分の2に達していませんから、改憲発議には日本維新の会の協力が必要でした。そこで、安倍首相は、維新の提案に理解を示したわけです。

では、この提案について、どう考えるべきでしょうか。まず、現行憲法の内容を確認しましょう。

【日本国憲法】

第二十六条　すべて国民は、法律の定めるところにより、その能力に応じて、ひとしく教育を受ける権利を有する。

2　すべて国民は、法律の定めるところにより、その保護する子女に普通教育を受けさせる義務を負ふ。義務教育は、これを無償とする。

憲法26条2項後段は、「無償」の範囲を義務教育としています。現在の学校教育法では、小学校と中学校が義務教育とされます。また、「無償」の範囲は、授業料に止まり、教科書代や交通費、上履きや体操服などの学用品の代金を含まないと解釈されています。安倍氏の提案は、これを保育園・幼稚園や高校・大学まで広げようというものです。

この提案に関してまず疑問なのが、幼児教育・高等教育無償化は憲法で禁止されていないという点です。教育を無償化したいのであれば、法律を作って、予算を付ければよいだけでしょう。実際、義務教育の教科書については、憲法の無償の範囲には含まれないとされているものの、1963年にできた「義務教育諸学校の教科用図書の無償措置に関する法律」に基づき、無償で配布されています。

憲法改正には国民投票が必要ですが、2007年の衆議院法制局の試算では、一回実施するのに約850億円の費用がかかるとされます。それだけのお金があるなら、奨学金基金にでもした方が子どもたちは喜ぶのではないでしょうか。

さらに、教育無償化は、既に憲法上の義務だとも指摘されます。国連が1966年に採択した「国際人権規約」という世界規模の人権条約があります。日本も1979年に批准した社会権規約（A規約）には、次のような規定がありました。

【国際人権規約　社会権規約13条2(b)及び(c)】

(b) 種々の形態の中等教育（技術的及び職業的中等教育を含む。）は、すべての適当な方法により、特に、無償教育の漸進的な導入により、一般的に利用可能であり、かつ、すべての者に対して機会が与えられるものとすること。

(c) 高等教育は、すべての適当な方法により、特に、無償教育の漸進的な導入により、能力に応じ、すべての者に対して均等に機会が与えられるものとすること。

http://www.mofa.go.jp/mofaj/gaiko/kiyaku/tuukoku_120911.html

この規定の傍線部について、長年、日本は「留保」していました。留保とは、多数の国が参加する条約において、一部の内容に参加しないでおく手続きです。しかし、２０１２年9月11日、日本は、この留保を撤回しました。つまり、無償教育の漸進的な導入は、条約上の義務となっています。

憲法98条2項は、「日本国が締結した条約」は、「これを誠実に遵守することを必要とする」と規定しますから、実は、高等教育無償化は、既に、政府の憲法上の義務になっているのです。そうだとすれば、もはや改憲の是非を論じている場合ではありません。具体的に、どうやって無償教育を実現するかを検討するべき段階に入っていると言えるでしょう。

ちなみに、維新の会は、教育無償化が憲法で禁じられていないことを知らずに、改憲の提案をしたわけではありません。過去に、教育無償化推進法案を国会に提出したにもかかわらず、与党がそれに賛同してくれなかったため、国民投票にかけて主権者の意思を仰ごうというのが改憲提案の趣旨でした。さらに、憲法規定になれば、政権交代があってもそう簡単には覆されなくなる、ということもあったようです。

維新の会の戦略も、大変興味深くはありますが、やはり、まずは法律を作り、予算を付けるところからチャレンジするのが妥当であるように思います。

2 参議院合区解消

自民党は、2016年の参院選、2017年の衆院選で、参議院合区選挙区の解消のための改憲を公約に掲げています。

現在、参議院議員の選挙は、全国を一つとする非拘束名簿式の比例区、都道府県を単位とする選挙区の二つの選挙制度を並列しています。具体的には、参議院議員の議席数が242議席、このうち比例代表が96議席、選挙区が146議席です。参議院は3年ごとに半数改選ですから、1回の選挙で改選対象となる選挙区の議席数は73議席しかありません。これを各都道府県に最低1議席振り分けようとしたら、4倍以上の一票の格差が生じてしまうのは、数学的にどうしようもないことです。

最高裁判所は、長年、参議院選挙では6倍以内の格差であれば許容する姿勢を示してきました。しかし、2010年代に入り、かなり厳しい姿勢に転じます。まず、2010年参院選の5倍の格差が違憲と判断されました（最高裁大法廷判決平成24年10月17日民集66巻10号3357頁）。さらに、2013年参院選の4・77倍の格差も違憲とされました（最高裁大法

廷判決平成26年11月26日民集68巻9号1363頁)。

さらに、これらの判例では、一票の格差が違憲であることを指摘するだけでなく、都道府県単位での選挙を行うことは限界にきているとして、見直しを求めていました。そこで、2015年に、鳥取・島根と高知・徳島の4県をそれぞれ合区する法改正が行われ、2016年の参院選は、それを前提に行われました。この時の格差は3・08倍でしたが、裁判所は、これを合憲としています(最高裁大法廷判決平成29年9月27日民集71巻7号1139頁)。

このように、4県2合区案の採用で、ようやく合憲判決が出ました。ただ、合区された4つの県では、これに強い不満があるようです。民主党や公明党は、格差をより縮減する20県10合区案を提出していたにもかかわらず、国会で否決されたわけですから、「どうして自分たちだけが」と納得がいかないのも当然でしょう。

数学的に見て、合区を解消するもっとも簡単な方法は、参議院議員の定数を大幅に増やすことです。しかし、議員定数を増やすことは、歳費を増やすことにもなり、難しいのが現状です。そこで、自民党は、改憲により、合区を解消できるようにしようと提案しました。

しかし、この提案に対しては、同じ与党の公明党や、改憲に前向きな維新の会も、「自民党の選挙の都合ではないか」と批判的です。また、例えば、参議院議員選挙で、各都道府県に人口と関係なく1の定数を割り振れる「1人別枠方式」を憲法に書き込むとすると、参議院議員が「全国民の代表」（憲法43条）ではなく、地域の代表になるのではないかとの懸念もあります。そうなると、この提案を実現するハードルは高そうです。

私は、一票の格差を是正することは、平等の観点から確かに大事だと思います。しかし他方で、参議院議員選挙で、都道府県単位の意思決定を示すことも重要ではないかと考えます。例えば、基地問題に悩む沖縄県が、鹿児島や九州全体と一つの選挙区にされてしまうと、沖縄県固有の事情を理解する議員が選ばれにくくなるでしょう。

国民全体に有意義な意思決定をするためには、国会が、多くの地域の意見や情報を把握することが必要です。そうすると、特定の地域の事情に詳しい議員が集まり、それぞれの地域の意見や情報を出し合うことは、国会議員が「全国民の代表」であることと何ら矛盾しないと考えることもできるのではないでしょうか。単純な1人別枠方式には問題があるものの、改憲も含め、合区の問題はもっと真剣に検討してよいはずです。

3　憲法裁判所の設置

２０１５年安保法制では、憲法学者のみならず、長官経験者を含む元最高裁判事、内閣法制局の元長官、日弁連と全ての都道府県の弁護士会など、多くの法律家が憲法違反であるとの意見を述べました。これに対し、政府は、最後まで合憲と言い張りました。

では、最高裁判所は、この問題について違憲立法審査をしてくれないのでしょうか。この点、日本の違憲立法審査制は「付随的審査制」といって、具体的な事件がないと裁判所が違憲立法審査権を行使できない仕組みになっています。２０１５年安保法制について言えば、実際に集団的自衛権が行使されることになり、出動命令を受けた自衛官が命令の違憲性を争って訴えたり、集団的自衛権の行使によって何らかの被害を受けた国民や外国人が裁判を起こしたりしないと、集団的自衛権行使容認の合憲性が審査できないわけです。

そこで、国会が立法した段階で、具体的な事件がなくとも違憲立法審査をしてもらえる仕組みを導入すべきとの声が上がりました。政党としては、おおさか維新の会（当時）が、２０１６年参院選の公約に憲法裁判所設置のための改憲を掲げています。

これはこれで、検討に値する余地がある提案です。ただ、憲法裁判所を設置する場合に問題になるのが、人事の方法です。法律が成立した段階で、違憲立法審査ができるとなると、内閣としては、憲法裁判所の裁判官を、自分たちの意を酌《く》んでくれる人にしたいとのインセンティブが強く働くようになります。憲法裁判所の裁判官が、内閣の思い通りの判決を書くということになれば、適切な法的判断がなされなくなってしまいます。不当な法律に対してまで、憲法裁判所がお墨付きを与えるようなことになっては、違憲立法審査などできない方が良かった、ということにもなりかねません。

もし、憲法裁判所を設置するなら、例えば、最高裁判所の指名に基づき、国会で公聴会を開催し、3分の2の議員の賛成で任命するなど、厳格な人事手続きが必要となるでしょう。

また、そもそも具体的な事件になる前に、法律ができた段階ですぐに憲法裁判所が判断をするのが、本当に良いことなのかという問題もあります。法律ができた段階で違憲審査するとなると、市民や憲法学者の間で憲法解釈を議論して、理解を共有したり、解釈論を成熟させたりすることができなくなる恐れがあります。現在の付随的審査制の下では、具体的な事件が起きてから、地方裁判所、高等裁判所、最高裁判所と時間をかけて憲法判断を重ねて行きます。違憲の判断が出るまで時間がかかるという問題はあるものの、時間をかけることにはそれなりの重要な意義があるということも理解して、検討すべきでしょう。

さらに、現行憲法を前提にしても、法案審議段階の違憲審査をより充実させることもできます。これまでの立法では、内閣が法案を提出する場合、内閣法制局という部署が法案の合憲性を検討し、内閣の判断を補佐してきました。日本では、裁判所の違憲判決の割合が諸外国に比べ低いとされますが、その要因の一つが、内閣法制局の法案審査の厳格さにあると言われます。実際、内閣法制局が合憲と判断した法律が違憲と判断されたケースは、ごくまれです。内閣法制局も、この点に高い誇りを持っているようで、長官が最高裁判事に任命されることを「天下り」と表現するというウワサもあります。

ただ、内閣法制局は、あくまで内閣を助ける機関で、人事権も内閣にあります。2015年安保法制の準備段階では、集団的自衛権行使は違憲とする内閣法制局長官を辞めさせ、行使容認に前向きで、法制局勤務経験のない外交官出身の人物を長官に据えるという人事がありました。これには、不適切な人選だとの批判が集中しましたが、制度上は、そのようなことが可能だったのです。

そうすると、内閣法制局よりも独立性を高めた、憲法判断ができる専門家の会議を立ち上げるという方法もあり得ます。例えば、衆参両院の憲法審査会が、「専門調査会議」のようなものを設置し、憲法学者・元裁判官・元検察官・弁護士や内閣法制局の長官経験者からメンバーを選抜し、違憲の疑いのある法案については、その会議で合憲性を判定してもらい、「意見書」をまとめて、憲法審査会に提出してもらうという制度はどうでしょうか。これができれば、憲法裁判所でなくとも、かなり権威のある判断が示されるはずです。また、人選を憲法審査会の全会一致のような形で決定すれば、内閣や与党からの独立性も確保できます。

4 衆議院解散権制限と憲法53条の期限設定

続いて、衆議院の解散権と臨時国会召集に関する問題を検討しましょう。

安倍首相は、2017年9月28日召集の臨時国会冒頭で、衆議院を解散しました。2005年の小泉郵政解散以降、解散権の濫用気味の事案が多いと言われますが、この解散には特に強い問題があります。これをきっかけに、改憲論議も活発化しています。

(1) 解散に関わる憲法規定

まず、衆議院の解散についての憲法規定を確認しましょう。憲法7条3号は、次のように定めています。

【日本国憲法】
第七条　天皇は、内閣の助言と承認により、国民のために、左の国事に関する行為を行ふ。
三　衆議院を解散すること。

このように、衆議院の解散は、天皇の国事行為とされます。もっとも、憲法7条は、どのような場合に解散できるのかについては何も規定していません。そして、解散が行われる場合を規定した憲法条文は、69条のみです。

【日本国憲法】
第六十九条　内閣は、衆議院で不信任の決議案を可決し、又は信任の決議案を否決したときは、十日以内に衆議院が解散されない限り、総辞職をしなければならない。

このように、内閣不信任の場合には解散が行われ得ると規定されます。では、それ以外の場合に、解散をしてもよいのでしょうか。この点は、憲法制定当初に、政界でも憲法学界でも激しく議論されました。しかし、現在の実務では、69条の場合でなくとも、7条の文言を根拠に、内閣が天皇に解散をするよう「助言と承認」をすれば解散できるとする解釈が定着しています。また、憲法学説の多くも、解散ができるのは69条の場合に限定されないとの見解を採っています。

(2) 69条非限定説の意味

とはいえ、69条非限定説は、解散権行使を内閣の好き勝手な判断に委ねる見解ではありません。

そもそも、解散権のみならず、行政権や外交権などの内閣の権限は、公共の利益を実現するために、主権者国民から負託された権限です。与党の党利党略や政府のスキャンダル隠しのために使ってよいものではありません。そう思って、憲法7条を改めて読み直すと、天皇の国事行為は、政府や与党の都合ではなく、「国民のために」行うものだと規定しています。

69条非限定説も、内閣が解散権を行使できるのは、国民に選挙で信を問うべき特別な事情がある場合に限られるとします。2017年の解散については、政治家から「今回の解散には大義がないのではないか」との声が上がりました。実務上も「解散には大義が必要」との認識があるわけです。

（3）政策の是非を問うことが解散の理由になる条件

では、2017年の解散に、大義はあったのでしょうか。この点、安倍首相は「国難突破解散」と名付け、北朝鮮ミサイル問題や少子高齢化問題などの国難を突破することが解散の目的だと説明しました。しかし、国民に政策の是非を問うのが解散の理由になるためには、次の二つの条件が満たされねばならないでしょう。

【国民に政策を問うことが解散理由になる条件】
条件1：問うべき政策の内容が具体的に提示されていること
条件2：各政党が、その政策をどう評価しているかが明らかになっていること

まず、**条件1**が欠けると、有権者も各政党も、何を議論してよいかが分かりません。また、問うべき政策内容が明確でも、**条件2**が充たされないと、有権者は、自分の意思を表明するために、どの党に投票すればよいのかが分からないでしょう。

そして、安倍首相が国民に問うとする政策の内容は甚だ不明確でした。つまり、2017年解散は、そもそも**条件1**が欠けていました。こういう状況では、「有権者に問うべき政策があるから解散する」との説明に何の説得力もなく、森友問題・加計問題への

追及かわしや、野党の選挙準備不足を突くための党利党略解散だと言われても仕方がないでしょう。

(4) 憲法53条を妨害する理由での解散?

さらに、2017年解散は、憲法53条との関係も問題となります。この条文は次のように規定しています。

【日本国憲法】
第五十三条　内閣は、国会の臨時会の召集を決定することができる。いづれかの議院の総議員の四分の一以上の要求があれば、内閣は、その召集を決定しなければならない。

これは、多数派の横暴により国会が機能不全になるのを防ぐため、少数派の議員に対して、重要案件がある場合に国会召集を要求できる権限を与えた規定です。

2017年6月22日、民進党や共産党の議員は、森友問題・加計学園問題などの審議のため、憲法53条後段に基づき国会召集を求めました。しかし、安倍内閣は召集を拒み続け、ようやく開会した臨時国会では、審議なしで冒頭に解散しました。衆議院が解散されれば、国会は閉会となり、現在の衆議院議員の構成で審議を行う機会は失われます。つまり、この解散は、野党の国会召集要求を妨害するもので、憲法53条に違反すると評価される可能性もあります。

(5) 解散権制限と憲法53条の期限設定

このように2017年解散には、無視できない憲法上の疑義があります。今後、不当な解散が繰り返されないようにするため、次の三つの対応が検討されるべきでしょう。

【不当な解散を繰り返さないための対応】
対応1:憲法を改正して解散権の行使に限定をかける
対応2:2012年自民党改憲草案53条を実現する
対応3:法律で解散権行使の場合の厳格な手続きを設ける

第一に、解散権を制限する改憲を考えるべきです。解散権の行使を大義ある場合に限定する改憲は、政治実務の感覚にも適合します。

第二に、現行の憲法53条には、少数派の要求があった場合、いつまでに国会を召集すべきかが規定されていません。このことが、安倍内閣が、国会召集の要求をかわしてきた原因の一つとなっていました。他方、２０１２年発表の自民党改憲草案には、憲法53条に「二十日以内」という期限を設ける提案が盛り込まれています。この提案は、真剣な検討に値するでしょう。

第三に、憲法を改正しなくとも、法律で解散の手続きをコントロールする方法もあります。解散権が濫用される原因の一つは、内閣が、公式に解散の理由を表明する手続きがないことです。そこで、次のような手続きを設けてはどうでしょうか。

【解散の手続きの提案】

①内閣が衆議院を解散する場合には、あらかじめ解散の意向を表明しなくてはならない。

②解散の意向表明から、正式に解散を宣言するまでには、最低でも48時間の時間をおかなくてはならない。

③意向表明から正式な解散宣言がなされるまでの時間、衆議院で、首相出席の下で解散の理由についての審議を行う。

このような手続があれば、解散の理由が不明確なまま総選挙に突入する事態は避けられます。国民は、解散理由の適否も投票の判断材料とするようになるので、不当な解散権行使を抑制できるでしょう。このような手続きの設定は、内閣の解散権を縛るものではなく、手続きを定めているだけなので、憲法改正ではなく、法律で実現することも十分可能です。

このように、解散権の濫用を防ぐためになすべき対策はいろいろあります。

5――死刑制度や原発問題について

憲法改正手続きは、国政の最重要問題について、主権者が意思を表示する手続きです。ここまで見てきた論点は、国会でも議論されてきたものですが、その他にも、国民全体で考えるべき国政の重要論点は、憲法改正手続きに乗せてみてもよいかもしれません。

例えば、原子力発電の利用については、3・11以降、様々な議論が積み重ねられてきました。市民の間には、原発廃止の是非を問う国民投票を求める声もあります。国民投票を実施する方法の一つが、原発廃止条項を憲法に付加する改憲発議です。それが行われれば、国民全体で議論をする良いきっかけになるのではないでしょうか。

また、死刑の問題も、国民全体で議論する価値があるように思います。現在、多くの国で死刑廃止が進められ、ヨーロッパでは大半の国が死刑を廃止しています。韓国も死刑をほぼ廃止し、アメリカでも死刑を科さない州が多くなってきています。国連でも、死刑廃止を呼びかける動きが活発化しています。その背景には、死刑が「存在してはならない生」というカテゴリーを設けてしまう非人道的なものだ、という人権意識の高まりがあります。

こうした中、日本は、徐々に孤立し始めています。このことの弊害は、理論面だけに止まりません。実際、日本が、死刑存置国であることを理由に犯罪人の引き渡しを拒否された事案も生じているようです。こうした流れを受けて、日弁連は、２０１６年10月７日の第59回人権擁護大会で「死刑制度の廃止を含む刑罰制度全体の改革を求める宣言」を採択しました。

しかし、死刑廃止という論点は、日本国民の間で十分な議論がなされていないようにも思います。私は、こうした中で、死刑問題についての意思決定を行う改憲発議をしてみることに、重要な意義があるのではないかと考えています。「死刑禁止」あるいは「死刑の当面存置」の改憲条項が発議されれば、死刑存置派と廃止派で活発な議論がなされ、国民もこの論点に強い関心を持つきっかけができるでしょう。

このように、政治家たちが発案するものだけが改憲論なのではありません。市民の側から、「この論点について主権者の意思を問うべきだ」と提案をして行くのも有意義なのではないでしょうか。

第九章補足

同性婚と憲法24条

憲法改正論議の中で、ときどき言われるのが、「同性婚を認めるために、憲法24条を改正しよう」という主張です。

憲法24条1項は「婚姻は、両性の合意のみに基いて成立」すると定めています。この条文を漠然と読むと、男女（両性）の合意以外で婚姻を成立させることを禁じている気がするかもしれません。しかし、憲法24条1項が同性婚を禁じていると読む専門家はほとんどいません。その理由を説明しましょう。

まず、この条文の制定された趣旨はどのようなものだったのでしょうか。1898年（明治31年）に制定された旧民法では、「家制度」が採用されていました。家制度では、戸主を中心に、その兄弟姉妹や子どもたちを一まとまりの「家」のメンバーとします。家の財産を戸主に集中させる一方で、その戸主が家のメンバーに対し支配権と扶養義務を負うこととしていました。

家制度の下では、婚姻は夫婦二人だけの関係ではなく、嫁（婿）が夫（嫁）の家に入るための制度でした。戸主や家の他のメンバーからすれば、自分の家に新しいメンバーが加われば、家財で扶養すべき相手が増えるわけで、どんな嫁（婿）が入って来るかは重大な関心事です。

このため、旧民法では、婚姻には、夫婦となる当事者だけでなく、戸主や同じ家にある父母の同意が必要でした。

当時の時代背景からすれば、家制度にもそれなりの合理性があったかもしれません。しかし、家制度は個人を戸主に従属させるもので、個人の尊厳を害します。また、戸主は原則男性とされ、戸主の地位は戸主の長男が優先して相続するものとされていました。これは、現代の価値観とは相いれません。そこで憲法24条は、家制度を廃止し、家族に関する法律は、個人の尊厳と男女の本質的平等に立脚して定めることとしました。婚姻も、夫婦となる両当事者の合意だけで成立するものと定めました。それが、「婚姻は、両性の合意のみに基いて成立」するという規定の趣旨です。こうしてみると、この規定が、同性間の婚姻を禁じるために制定されたものではないことは明らかです。

また、憲法が何かを禁じるときは、「国及びその機関は、宗教教育その他いかなる宗教的活動もしてはならない」（憲法20条3項）、「公務員による拷問及び残虐な刑罰は、絶対にこれを禁ずる」（憲法36条）といった形で、明確な禁止の言葉を使います。これに対して、憲法24条は、〈同性間の婚姻を禁じる〉とか〈同性愛者に法律婚の効果を付与してはならない〉などといった表現を用いていません。

さらに、「両性の合意」で成立するものだという文言、当事者を「夫婦」と表現していることから、純粋に文理的に読めば、憲法24条に言う「婚姻」は異性婚を指していると考えられます。憲法24条1項は〈異性婚（憲法第24条に言う「婚姻」）は両性の合意のみで成立する〉ことを定めただけで、同性婚については何も言っていません。

もしも憲法24条1項が同性婚について何かを言った規定だと読もうとすると、ここに言う「婚姻」は、漠然と異性婚も同性婚も含むおよそ婚姻全てを言うと読む必要があります。しかし、そう読むと、憲法24条1項は〈異性婚は両性の合意のみで成立し、かつ、同性婚も両性の合意のみで成立する〉という意味不明の内容になってしまいます。「成立する」という表現から、無理やり禁止の意味を読み取ろうとするから、文言の筋が通らなくなってしまうのです。

ということで、憲法24条は同性婚について何も述べていないので、同性婚を認めるために憲法改正は不要だというのが、法律専門家の主流の考え方ということになります。

2021年3月17日、札幌地裁が同性間に婚姻の効果を全く認めていない現在の法律は違憲だとする判決を出しました。この判決も、憲法24条は異性婚に関する規定であり、同性婚については何も述べていないとしています。

では、憲法24条が同性婚を禁止してはいないのを前提にするとして、さらに進んで、憲法は同性婚の法制化を積極的に要請している、と理解することはできないのでしょうか。最近では、「当事者が合意をすれば、それだけで婚姻ができる権利」は、男女のカップルだけでなく、同性カップルにも保障されるべきだから、憲法24条を同性カップルにも適用すべきだ、という憲法学説も増えてきています。あと数年もすれば、ほとんどの憲法学者がそれを支持するのではないか、という勢いです。

「同性婚のために憲法改正が必要」という主張に出会った際には、こうした憲法論をしっかり理解した上で主張しているのか、それを乗り越える何らかの根拠が示されているのかを見極めてください。

あとがき

本年（2022年）の5月上旬、本書を担当した編集者の安藤聡さんから連絡がありました。ウクライナ情勢を受けて、改めて本書の内容に注目が集まっているので、増補版を出版しないか、とのお話でした。

私も、日々、自衛隊と憲法をめぐる議論を追い続け、その都度、メディアの取材にも答えてきましたが、出版以降に出てきた論点についてどこかでまとまった説明を示す必要を感じていました。安藤さんからの増補版の提案は確かに合理的だと考えた私は、加筆・修正に向けて、早速、本書を通読しました。すると、出版から数年たった今の視点から見ても、本文の内容は我ながら良くできていると感じました。本書を読んでもらえささえすれば、自衛隊をめぐる基本的な知識の体系が理解できますから、出版後に現れた議論や事情についても、どのように考え、どう判断すべきかはわかるはずです。

そこで、増補版での本文の修正は、誤字の訂正や条文番号の補充等、最小限にとどめ、新たに現れた事件や議論について、各章の末尾で補足することにしました。いずれも、本文を読んでいただいた上で、その理論を当てはめれば答えが出るものばかりです。旧版の読者の皆様は、各章の補足を「答え合わせ」として読んでいただければと思います。

また、増補版からの読者の皆さんは、本文から順番に読んでいっていただければ、「自衛隊と憲法」というテーマについて、現在の状況も含めて、正確に理解していただけると思います。

本書が、皆さんの実りある議論の素材になれば幸いです。素晴らしいタイミングで増補版の提案をしてくれた安藤さん、そして、この本を手に取ってくださった読者の皆様に心から感謝を申し上げます。

木村草太

【文献紹介】

この本の内容は、憲法と自衛隊に関する基本的な事項に止まります。より深い勉強をしたい方には、以下の文献がお勧めです。

1　国際法について（第一章関係）

長尾龍一『リヴァイアサン』（講談社学術文庫・1994年）
　特に第一部「国家の概念と歴史」
国際法学会『日本と国際法の100年 第10巻・安全保障』（三省堂・2001年）
森肇志『自衛権の基層』（東京大学出版会・2009年）
小寺彰・岩沢雄司・森田章夫編『講義国際法（第2版補訂版）』（有斐閣・2013年）
　特に第17章「武力行使の規制と国際安全保障」（森肇志執筆）
森川幸一・森肇志・岩月直樹・藤澤巌・北村朋史『国際法で世界がわかる』（岩波書店・2016年）
南野森編『〔新版〕法学の世界』（日本評論社・2019年）
　特に「第4章・国際法」（森肇志執筆）
長谷部恭男『戦争と法』（文藝春秋・2020年）

2　憲法9条の内容と解釈学説について（第二章関係）

憲法学説について

芦部信喜『憲法学Ⅰ 憲法総論』（有斐閣・1992年）「第7章 平和主義」

安念潤司「集団的自衛権は放棄されたのか」松井茂記編著『スターバックスでラテを飲みながら憲法を考える』（有斐閣・2016年）第10章

長谷部恭男『憲法の理性［増補新装版］』（東京大学出版会・2016年）「第1章 平和主義と立憲主義」・「補章Ⅰ攻撃される日本の立憲主義」

軍事作用のカテゴリカルな消去について

青井未帆「閣議決定で決められるものではない」「世界」2014年9月号

石川健治「軍隊と憲法」水島朝穂編『シリーズ日本の安全保障3 立憲的ダイナミズム』（岩波書店・2014年）128頁

松平徳仁「『集団的自衛権』をめぐる憲法政治と国際政治」「世界」2014年10月号

美濃部達吉『憲法講話』（岩波文庫・2018年（初版1912年））特に第2講

3 政府と裁判所の憲法9条解釈について（第三章、第四章関係）

安念潤司「日本国憲法における『武力の行使』の位置づけ」「ジュリスト」1343号2007年

浦田一郎編『政府の憲法九条解釈』（信山社・2013年）

小西洋之『私たちの平和憲法と解釈改憲のからくり』（八月書館・2015年）

阪田雅裕編著『政府の憲法解釈』（有斐閣・2013年）

阪田雅裕・川口 創『「法の番人」内閣法制局の矜持』（大月書店・2014年）

長谷部恭男・石川健治・宍戸常寿編『憲法判例百選Ⅱ（第6版）』（有斐閣・２０１３年）

4　自衛隊法と２０１５年安保法制について（第五章、第六章関係）

朝日新聞政治部取材班『安倍政権の裏の顔』（講談社・２０１５年）
高見勝利「集団的自衛権『限定行使』の虚実」「世界」２０１５年９月号
田村重信・高橋憲一・島田和久『日本の防衛法制』（内外出版・２０１２年）
長谷部恭男編『検証・安保法案　どこが憲法違反か』（有斐閣・２０１５年）
読売新聞政治部編著『安全保障関連法　変わる安保体制』（信山社・２０１５年）
長谷部恭男編『安保法制から考える憲法と立憲主義・民主主義』（有斐閣・２０１６年）
松田公太「公共空間としての国会――安保法制附帯決議・閣議決定から考える」「法学セミナー」２０１６年７月号
阪田雅裕著『憲法９条と安保法制』（有斐閣・２０１６年）
松本一弥「『存立危機事態』は存在するか　安保法制の根幹をめぐるガチ論　中谷元・前防衛相vs木村草太・首都大学東京教授」（ウェブ論座・２０１６年10月21日）(http://webronza.asahi.com/politics/articles/2016102000006.html)

【初出】

本書の一部は、次の各原稿に加筆・修正をしたものです。

現代ビジネス

・衆院解散、やっぱり無視できない「憲法上の疑義」木村草太が説く解散権濫用を防ぐ「3つの対応策」とは（2017年9月25日）
・いまさら聞けない「憲法9条と自衛隊」〜本当に「憲法改正」は必要なのか？ 憲法学者・木村草太が現状を読み解く（2016年7月2日）
・気鋭の憲法学者・木村草太が説く「安保法制にこれから歯止めをかける方法」（2016年1月14日）

WEBRONZA

・自衛隊明記改憲は政権与党にとっていばらの道だ 安倍首相の憲法9条改憲提案には「憲法を変えたい」という以上の何かが見えてこない（2017年6月15日）
・緊急事態条項の実態は「内閣独裁権条項」である 自民党草案の問題点を考える（2016年3月14日）

朝日新聞

・（あすを探る 憲法・社会）9条の持論、披露する前に 木村草太 2018年2月22日

【資料】

国の存立を全うし、国民を守るための切れ目のない安全保障法制の整備について

平成26年7月1日　国家安全保障会議決定（7・1閣議決定）

我が国は、戦後一貫して日本国憲法の下で平和国家として歩んできた。専守防衛に徹し、他国に脅威を与えるような軍事大国とはならず、非核三原則を守るとの基本方針を堅持しつつ、国民の営々とした努力により経済大国として栄え、安定して豊かな国民生活を築いてきた。また、我が国は、平和国家としての立場から、国際連合憲章を遵守しながら、国際社会や国際連合を始めとする国際機関と連携し、それらの活動に積極的に寄与している。こうした我が国の平和国家としての歩みは、国際社会において高い評価と尊敬を勝ち得てきており、これをより確固たるものにしなければならない。

一方、日本国憲法の施行から67年となる今日までの間に、我が国を取り巻く安全保障環境は根本的に変容するとともに、更に変化し続け、我が国は複雑かつ重大な国家安全保障上の課題に直面している。国際連合憲章が理想として掲げたいわゆる正規の「国連軍」は実現のめどが立っていないことに加え、冷戦終結後の四半世紀だけをとっても、グローバルなパワーバランスの変化、技術革新の急速な進展、大量破壊兵器や弾道ミサイルの開発及び拡散、国際テロなどの脅威により、アジア太平洋地域において問題や緊張が生み出されるとともに、脅威が世界のどの地域において発生しても、我が国

の安全保障に直接的な影響を及ぼし得る状況になっている。さらに、近年では、海洋、宇宙空間、サイバー空間に対する自由なアクセス及びその活用を妨げるリスクが拡散し深刻化している。もはや、どの国も一国のみで平和を守ることはできず、国際社会もまた、我が国がその国力にふさわしい形で一層積極的な役割を果たすことを期待している。

政府の最も重要な責務は、我が国の平和と安全を維持し、その存立を全うするとともに、国民の命を守ることである。我が国を取り巻く安全保障環境の変化に対応し、政府としての責務を果たすためには、まず、十分な体制をもって力強い外交を推進することにより、安定しかつ見通しがつきやすい国際環境を創出し、脅威の出現を未然に防ぐとともに、国際法にのっとって行動し、法の支配を重視することにより、紛争の平和的な解決を図らなければならない。

さらに、我が国自身の防衛力を適切に整備、維持、運用し、同盟国である米国との相互協力を強化するとともに、域内外のパートナーとの信頼及び協力関係を深めることが重要である。特に、我が国の安全及びアジア太平洋地域の平和と安定のために、日米安全保障体制の実効性を一層高め、日米同盟の抑止力を向上させることにより、武力紛争を未然に回避し、我が国に脅威が及ぶことを防止することが必要不可欠である。その上で、いかなる事態においても国民の命と平和な暮らしを断固として守り抜くとともに、国際協調主義に基づく「積極的平和主義」の下、国際社会の平和と安定にこれまで以上に積極的に貢献するためには、切れ目のない対応を可能とする国内法制を整備しなければならない。

5月15日に「安全保障の法的基盤の再構築に関する懇談会」から報告書が提出され、同日に安倍内閣総理大臣が記者会見で表明した基本的方向性に基づき、これまで与党において協議を重ね、政府としても検討を進めてきた。今般、与党協議の結果に基づき、政府として、以下の基本方針に従って、国民の命と平和な暮らしを守り抜くために必要な国内法制を速やかに整備することとする。

1 武力攻撃に至らない侵害への対処

(1) 我が国を取り巻く安全保障環境が厳しさを増していることを考慮すれば、純然たる平時でも有事でもない事態が生じやすく、これにより更に重大な事態に至りかねないリスクを有している。こうした武力攻撃に至らない侵害に際し、警察機関と自衛隊を含む関係機関が基本的な役割分担を前提として、より緊密に協力し、いかなる不法行為に対しても切れ目のない十分な対応を確保するための態勢を整備することが一層重要な課題となっている。

(2) 具体的には、こうした様々な不法行為に対処するため、警察や海上保安庁などの関係機関が、それぞれの任務と権限に応じて緊密に協力して対応するとの基本方針の下、各々の対応能力を向上させ、情報共有を含む連携を強化し、具体的な対応要領の検討や整備を行い、命令発出手続を迅速化するとともに、各種の演習や訓練を充実させるなど、各般の分野における必要な取組を一層強化することとする。

(3)このうち、手続の迅速化については、離島の周辺地域等において外部から武力攻撃に至らない侵害が発生し、近傍に警察力が存在しない場合や警察機関が直ちに対応できない場合(武装集団の所持する武器等のために対応できない場合を含む。)の対応において、治安出動や海上における警備行動を発令するための関連規定の適用関係についてあらかじめ十分に検討し、関係機関において共通の認識を確立しておくとともに、手続を経ている間に、不法行為による被害が拡大することがないよう、状況に応じた早期の下令や手続の迅速化のための方策について具体的に検討することとする。

(4)さらに、我が国の防衛に資する活動に現に従事する米軍部隊に対して攻撃が発生し、それが状況によっては武力攻撃にまで拡大していくような事態においても、自衛隊と米軍が緊密に連携して切れ目のない対応をすることが、我が国の安全の確保にとっても重要である。自衛隊と米軍部隊が連携して行う平素からの各種活動に際して、米軍部隊に対して武力攻撃に至らない侵害が発生した場合を想定し、自衛隊法第95条による武器等防護のための「武器の使用」の考え方を参考にしつつ、自衛隊と連携して我が国の防衛に資する活動(共同訓練を含む。)に現に従事している米軍部隊の武器等であれば、米国の要請又は同意があることを前提に、当該武器等を防護するための自衛隊法第95条によるものと同様の極めて受動的かつ限定的な必要最小限の「武器の使用」を自衛隊が行うことができるよう、法整備をすることとする。

2　国際社会の平和と安定への一層の貢献

(1) いわゆる後方支援と「武力の行使との一体化」

ア　いわゆる後方支援と言われる支援活動それ自体は、「武力の行使」に当たらない活動である。例えば、国際の平和及び安全が脅かされ、国際社会が国際連合安全保障理事会決議に基づいて一致団結して対応するようなときに、我が国が当該決議に基づき正当な「武力の行使」を行う他国軍隊に対してこうした支援活動を行うことが必要な場合がある。一方、憲法第9条との関係で、我が国による支援活動については、他国の「武力の行使と一体化」することにより、我が国自身が憲法の下で認められない「武力の行使」を行ったとの法的評価を受けることがないよう、これまでの法律においては、活動の地域を「後方地域」や、いわゆる「非戦闘地域」に限定するなどの法律上の枠組みを設定し、「武力の行使との一体化」の問題が生じないようにしてきた。

イ　こうした法律上の枠組みの下でも、自衛隊は、各種の支援活動を着実に積み重ね、我が国に対する期待と信頼は高まっている。安全保障環境が更に大きく変化する中で、国際協調主義に基づく「積極的平和主義」の立場から、国際社会の平和と安定のために、自衛隊が幅広い支援活動で十分に役割を果たすことができるようにすることが必要である。また、このような活動をこれまで以上に支障なくできるようにすることは、我が国の平和及び安全の確保の観点からも極めて重要である。

ウ　政府としては、いわゆる「武力の行使との一体化」論それ自体は前提とした上で、その議論の積み重ねを踏まえつつ、これまでの自衛隊の活動の実経験、国際連合の集団安全保障措置の実態等を勘案して、従来の「後方地域」あるいはいわゆる「非戦闘地域」といった自衛隊が活動する範囲をおよそ一体化の問題が生じない地域に一律に区切る枠組みではなく、他国が「現に戦闘行為を行っている現場」ではない場所で実施する補給、輸送などの我が国の支援活動については、当該他国の「武力の行使と一体化」するものではないという認識を基本とした以下の考え方に立って、我が国の安全の確保や国際社会の平和と安定のために活動する他国軍隊に対して、必要な支援活動を実施できるようにするための法整備を進めることとする。

(ア) 我が国の支援対象となる他国軍隊が「現に戦闘行為を行っている現場」では、支援活動は実施しない。

(イ) 仮に、状況変化により、我が国が支援活動を実施している場所が「現に戦闘行為を行っている現場」となる場合には、直ちにそこで実施している支援活動を休止又は中断する。

（2）国際的な平和協力活動に伴う武器使用

ア　我が国は、これまで必要な法整備を行い、過去20年以上にわたり、国際的な平和協力活動を実施してきた。その中で、いわゆる「駆け付け警護」に伴う武器使用や「任務遂行のための武器使用」については、これを「国家又は国家に準ずる組織」に対して行った場合には、憲法第9条が禁ずる「武力の行使」に該当するおそれがあることから、国際的な平和協力活動に従事する自衛官の武器使用権限はいわゆる自己保存型と武器等防護に限定してきた。

イ　我が国としては、国際協調主義に基づく「積極的平和主義」の立場から、国際社会の平和と安定のために一層取り組んでいく必要があり、そのために、国際連合平和維持活動（ＰＫＯ）などの国際的な平和協力活動に十分かつ積極的に参加できることが重要である。また、自国領域内に所在する外国人の保護は、国際法上、当該領域国の義務であるが、多くの日本人が海外で活躍し、テロなどの緊急事態に巻き込まれる可能性がある中で、当該領域国の受入れ同意がある場合には、武器使用を伴う在外邦人の救出についても対応できるようにする必要がある。

ウ　以上を踏まえ、我が国として、「国家又は国家に準ずる組織」が敵対するものとして登場しないことを確保した上で、国際連合平和維持活動などの「武力の行使」を伴わない国際的な平和協力活動におけるいわゆる「駆け付け警護」に伴う武器使用及び「任務遂行のための武器使用」のほか、領域国の同意に基づく邦人救出などの「武力の行使」を伴わない警察的な活動ができるよう、以下の考え方を基本として、法整備を進めることとする。

(ア)国際連合平和維持活動等については、PKO参加5原則の枠組みの下で、「当該活動が行われる地域の属する国の同意」及び「紛争当事者の当該活動が行われることについての同意」が必要とされており、受入れ同意をしている紛争当事者以外の「国家に準ずる組織」が敵対するものとして登場することは基本的にないと考えられる。このことは、過去20年以上にわたる我が国の国際連合平和維持活動等の経験からも裏付けられる。近年の国際連合平和維持活動において重要な任務と位置付けられている住民保護などの治安の維持を任務とする場合を含め、任務の遂行に際して、自己保存及び武器等防護を超える武器使用が見込まれる場合には、特に、その活動の性格上、紛争当事者の受入れ同意が安定的に維持されていることが必要である。

(イ)自衛隊の部隊が、領域国政府の同意に基づき、当該領域国における邦人救出などの「武力の行使」を伴わない警察的な活動を行う場合には、領域国政府の同意が及ぶ範囲、すなわち、その領域において権力が維持されている範囲で活動することは当然であり、これは、その範囲においては「国家に準ずる組織」は存在していないということを意味する。

(ウ)受入れ同意が安定的に維持されているかや領域国政府の同意が及ぶ範囲等については、国家安全保障会議における審議等に基づき、内閣として判断する。

（エ）なお、これらの活動における武器使用については、警察比例の原則に類似した厳格な比例原則が働くという内在的制約がある。

3　憲法第9条の下で許容される自衛の措置

（1）我が国を取り巻く安全保障環境の変化に対応し、いかなる事態においても国民の命と平和な暮らしを守り抜くためには、これまでの憲法解釈のままでは必ずしも十分な対応ができないおそれがあることから、いかなる解釈が適切か検討してきた。その際、政府の憲法解釈には論理的整合性と法的安定性が求められる。したがって、従来の政府見解における憲法第9条の解釈の基本的な論理の枠内で、国民の命と平和な暮らしを守り抜くための論理的な帰結を導く必要がある。

（2）憲法第9条はその文言からすると、国際関係における「武力の行使」を一切禁じているように見えるが、憲法前文で確認している「国民の平和的生存権」や憲法第13条が「生命、自由及び幸福追求に対する国民の権利」は国政の上で最大の尊重を必要とする旨定めている趣旨を踏まえて考えると、憲法第9条が、我が国が自国の平和と安全を維持し、その存立を全うするために必要な自衛の措置を採ることを禁じているとは到底解されない。一方、この自衛の措置は、あくまで外国の武力攻撃によって国民の生命、自由及び幸福追求の権利が根底から覆されるという急迫、不正の事態に対処し、国民のこれらの権利を守るためのやむを得ない措置として初めて容認されるものであり、そのための必要最小限度の「武力の行使」は許容される。これが、憲法第9条の下で例外的に許容される「武力の行使」について、従来から政府が一貫して表明してきた見解の根幹、いわば基本的な論理であり、昭和47年10月14日に参議院決算委員会に対し政府から提出された資料「集団的自衛権と憲法との関係」に明確に示されているところである。

この基本的な論理は、憲法第9条の下では今後とも維持されなければならない。

(3) これまで政府は、この基本的な論理の下、「武力の行使」が許容されるのは、我が国に対する武力攻撃が発生した場合に限られると考えてきた。しかし、冒頭で述べたように、パワーバランスの変化や技術革新の急速な進展、大量破壊兵器などの脅威等により我が国を取り巻く安全保障環境が根本的に変容し、変化し続けている状況を踏まえれば、今後他国に対して発生する武力攻撃であったとしても、その目的、規模、態様等によっては、我が国の存立を脅かすことも現実に起こり得る。

我が国としては、紛争が生じた場合にはこれを平和的に解決するために最大限の外交努力を尽くすとともに、これまでの憲法解釈に基づいて整備されてきた既存の国内法令による対応や当該憲法解釈の枠内で可能な法整備などあらゆる必要な対応を採ることは当然であるが、それでもなお我が国の存立を全うし、国民を守るために万全を期す必要がある。

こうした問題意識の下に、現在の安全保障環境に照らして慎重に検討した結果、我が国に対する武力攻撃が発生した場合のみならず、我が国と密接な関係にある他国に対する武力攻撃が発生し、これにより我が国の存立が脅かされ、国民の生命、自由及び幸福追求の権利が根底から覆される明白な危険がある場合において、これを排除し、我が国の存立を全うし、国民を守るために他に適当な手段がないときに、必要最小限度の実力を行使することは、従来の政府見解の基本的な論理に基づく自衛のための措置として、憲法上許容されると考えるべきであると判断するに至った。

(4)我が国による「武力の行使」が国際法を遵守して行われることは当然であるが、国際法上の根拠と憲法解釈は区別して理解する必要がある。憲法上許容される上記の「武力の行使」は、国際法上は、集団的自衛権が根拠となる場合がある。この「武力の行使」には、他国に対する武力攻撃が発生した場合を契機とするものが含まれるが、憲法上は、あくまでも我が国の存立を全うし、国民を守るため、すなわち、我が国を防衛するためのやむを得ない自衛の措置として初めて許容されるものである。

(5)また、憲法上「武力の行使」が許容されるとしても、それが国民の命と平和な暮らしを守るためのものである以上、民主的統制の確保が求められることは当然である。政府としては、我が国ではなく他国に対して武力攻撃が発生した場合に、憲法上許容される「武力の行使」を行うために自衛隊に出動を命ずるに際しては、現行法令に規定する防衛出動に関する手続と同様、原則として事前に国会の承認を求めることを法案に明記することとする。

4 今後の国内法整備の進め方

これらの活動を自衛隊が実施するに当たっては、国家安全保障会議における審議等に基づき、内閣として決定を行うこととする。こうした手続を含めて、実際に自衛隊が活動を実施できるようにするためには、根拠となる国内法が必要となる。政府として、以上述べた基本方針の下、国民の命と平和な暮らしを守り抜くために、あらゆる事態に切れ目のない対応を可能とする法案の作成作業を開始することとし、十分な検討を行い、準備ができ次第、国会に提出し、国会における御審議を頂くこととする。

（以上）

参議院平和安全法制特別委員会の附帯決議
2015（平成27）年9月17日

日本国憲法の下、我が国の戦後70年の平和国家の歩みは不変であった。これを確固たるものとするため、二度と戦争の惨禍を繰り返さないという不戦の誓いを将来にわたって守り続けなければならない。

その上で、我が国は国連憲章その他の国際法規を遵守し、積極的な外交を通じて、平和を守るとともに、国際社会の平和及び安全に我が国としても積極的な役割を果たしていく必要がある。

その際、防衛政策の基本方針を堅持し、他国に脅威を与えるような軍事大国とはならないことを改めて確認する。さらに、両法律、すなわち平和安全法制の運用には国会が十全に関与し、国会による民主的統制としての機能を果たす必要がある。

このような基本的な認識の下、政府は、両法律の施行に当たり、次の事項に万全を期すべきである。

1．存立危機事態の認定に係る新三要件の該当性を判断するに当たっては、第一要件にいう「我が国の存立が脅かされ、国民の生命、自由及び幸福追求の権利が根底から覆される明白な危険がある」とは、「国民に我が国が武力攻撃を受けた場合と同様な深刻、重大な被害が及ぶことが明らかな状況」であることに鑑み、攻撃国の意思、能力、事態の発生場所、その規模、態様、推移などの要素を総合的に考慮して、我が国に対する外部からの武力攻撃が発生する明白な危険など我が国に戦禍が及ぶ蓋然性、国民がこうむることとなる犠牲の深刻性、重大性などから判断することに十分留意しつつ、これを行うこと。

さらに存立危機事態の認定は、武力攻撃を受けた国の要請又は同意があることを前提とすること。また、重要影響事態において他国を支援する場合には、当該他国の要請を前提とすること。

2．存立危機事態に該当するが、武力攻撃事態等に該当しない例外的な場合における防衛出動の国会承認については、例外なく事前承認を求めること。

現在の安全保障環境を踏まえれば、存立危機事態に該当するような状況は、同時に武力攻撃事態等にも該当することがほとんどで、存立危機事態と武力攻撃事態等が重ならない場合は、極めて例外である。

3．平和安全法制に基づく自衛隊の活動については、国会による民主的統制を確保するものとし、重要影響事態においては国民の生死に関わる極めて限定的な場合を除いて国会の事前承認を求めること。また、ＰＫＯ派遣において、駆け付け警護を行った場合には、速やかに国会に報告すること。

4．平和安全法制に基づく自衛隊の活動について、国会がその承認をするに当たって国会がその期間を限定した場合において、当該期間を超えて引き続き活動を行おうとするときは、改めて国会の承認を求めること。

また、政府が国会承認を求めるに当たっては、情報開示と丁寧な説明をすること。また、当該自衛隊の活動の終了後において、法律に定められた国会報告を行うに際し、当該活動に対する国内外、現地の評価も含めて、丁寧に説明すること。

また、当該自衛隊の活動について180日ごとに国会に報告を行うこと。

5．国会が自衛隊の活動の終了を決議したときには、法律に規定がある場合と同様、政府はこれを尊重し、速やかにその終了措置をとること。

6．国際平和支援法及び重要影響事態法の「実施区域」については、現地の状況を適切に考慮し、自衛隊が安全かつ円滑に活動できるよう、自衛隊の部隊等が現実に活動を行う期間について戦闘行為が発生しないと見込まれる場所を指定すること。

7．「弾薬の提供」は、緊急の必要性が極めて高い状況下にのみ想定されるものであり、拳銃、小銃、機関銃などの他国部隊の要員等の生命・身体を保護するために使用される弾薬の提供に限ること。

8．我が国が非核三原則を堅持し、NPT条約、生物兵器禁止条約、化学兵器禁止条約等を批准していることに鑑み、核兵器、生物兵器、化学兵器といった大量破壊兵器や、クラスター弾、劣化ウラン弾の輸送は行わないこと。

9．なお、平和安全法制に基づく自衛隊の活動の継続中及び活動終了後において、常時監視及び事後検証のため、適時適切に所管の委員会等で審査を行うこと。

さらに、平和安全法制に基づく自衛隊の活動に対する常時監視及び事後検証のための国会の組織の在り方、重要影響事態及びＰＫＯ派遣の国会関与の強化については、両法成立後、各党間で検討を行い、結論を得ること。

右決議する。

平和安全法制の成立を踏まえた政府の取組について

平成27年9月19日　国家安全保障会議決定（9・19閣議決定）

1　我が国は、戦後一貫して日本国憲法の下で平和国家として歩んできた。専守防衛に徹し、他国に脅威を与えるような軍事大国とはならず、非核三原則を守るとの基本方針を堅持してきた。また、我が国は、国際連合憲章を遵守しながら、国際社会や国際連合を始めとする国際機関と連携し、それらの活動に積極的に寄与している。こうした我が国の平和国家としての歩みは、これをより確固たるものにしなければならない。

我が国を取り巻く安全保障環境の変化に対応し、政府としての責務を果たすためには、まず、十分な体制をもって力強い外交を推進することにより、安定しかつ見通しがつきやすい国際環境を創出し、脅威の出現を未然に防ぐとともに、国際法にのっとって行動し、法の支配を重視することにより、紛争の平和的な解決を図らなければならない。

その上で、いかなる事態においても国民の命と平和な暮らしを断固として守り抜くとともに、国際協調主義に基づく「積極的平和主義」の下、国際社会の平和と安全にこれまで以上に積極的に貢献するためには、切れ目のない対応を可能とする国内法制を整備しなければならない。

2　このような認識は、「国の存立を全うし、国民を守るための切れ目のない安全保障法制の整備について」（平成26年7月1日閣議決定）において示されたとおりであり、政府は、同閣議決定に基づいて検討を進めた結果、我が国及び国際社会の平和及び安全の確保に資するための自衛隊法等の一部を改正する法律案及び国際平和共同対処事態に際して我が国が実施する諸外国の軍隊等に対する協力支援活動等に関する法律案を平成27年5月14日に閣議決定し、国会に提出し審議をお願いしたところである。

3　その結果、平成27年9月16日に、自由民主党、公明党、日本を元気にする会、次世代の党及び新党改革の5党により、別添の「平和安全法制についての合意書」が合意され、同月17日、参議院我が国及び国際社会の平和安全法制に関する特別委員会において、同合意書の内容が附帯決議として議決された上で、同月19日、参議院本会議において可決成立した。

4　政府は、本法律の施行に当たっては、上記3の5党合意の趣旨を尊重し、適切に対処するものとする。

著者について

木村草太（きむら・そうた）

1980年神奈川県生まれ。東京大学法学部卒業、同助手を経て、現在、東京都立大学大学院法学政治学研究科法学政治学専攻・法学部教授。専攻は憲法学。著書に『キヨミズ准教授の法学入門』（星海社新書）、『憲法の創造力』（NHK出版新書）、『集団的自衛権はなぜ違憲なのか』（晶文社）、『憲法という希望』（講談社現代新書）、『憲法の急所 第2版』（羽鳥書店）、『木村草太の憲法の新手』『木村草太の憲法の新手2』（共に沖縄タイムス社）など。共著に『ほとんど憲法（上下）』（河出書房新社）、『むずかしい天皇制』『子どもの人権をまもるために』（共に晶文社）などがある。

犀の教室
Liberal Arts Lab

増補版《ぞうほばん》　自衛隊《じえいたい》と憲法《けんぽう》
——危機の時代の憲法論議のために

2022年7月15日　初版

著　者　木村草太

発行者　株式会社晶文社
東京都千代田区神田神保町1-11 〒101-0051

電　話　03-3518-4940（代表）・4942（編集）

URL　http://www.shobunsha.co.jp

印刷・製本　中央精版印刷株式会社

ISBN978-4-7949-7322-1 Printed in Japan

犀の教室
Liberal Arts Lab

生きるための教養を犀の歩みで届けます。
越境する知の成果を伝える
あたらしい教養の実験室「犀の教室」

21 世紀の道徳　ベンジャミン・クリッツァー

規範についてはリベラルに考え、個人としては保守的に生きよ。進化心理学など最新の学問の知見と、古典的な思想家たちの議論をミックスした、未来志向とアナクロニズムが併存したあたらしい道徳論。「学問の意義」「功利主義」「ジェンダー論」「幸福論」の 4 つの分野で構成する、進化論を軸にしたこれからの倫理学。

99%のためのマルクス入門　田上孝一

1 対 99 の格差、ワーキングプア、ブルシット・ジョブ、地球環境破壊……現代社会が直面する難問に対する答えは、マルクスの著書のなかにすでにそのヒントが埋め込まれている。『資本論』『経済学・哲学草稿』『ドイツ・イデオロギー』などの読解を通じて、「現代社会でいますぐ使えるマルクス」を提示する入門書。

ポストコロナ期を生きるきみたちへ　内田樹 編

コロナ・パンデミックによって世界は変わった。グローバル資本主義の神話は崩れ、一握りの富裕層がいる一方で、貧困にあえぐ多くのエッセンシャルワーカーがいる。この矛盾に満ちた世界をどうするか？ 有史以来の「歴史的転換点」を生きる中高生たちに向けて、5 つの世代 20 名の識者が伝える希望に満ちたメッセージ集。

ふだんづかいの倫理学　平尾昌宏

社会も、経済も、政治も、科学も、倫理なしには成り立たない。倫理がなければ、生きることすら難しい。人生の局面で判断を間違わないために、正義と、愛と、自由の原理を押さえ、自分なりの生き方の原則を作る！　道徳的混乱に満ちた現代で、人生を炎上させずにエンジョイする、〈使える〉倫理学入門。

原子力時代における哲学　國分功一郎

1950 年代、並み居る知識人たちが原子力の平和利用に傾くなかで、ただ一人原子力の本質的な危険性を指摘していたのがハイデッガー。なぜ彼だけが原子力の危険性を指摘できたのか。その洞察の秘密はどこにあったのか。ハイデッガーのテキスト「放下」を軸に、壮大なスケールで展開される技術と自然をめぐる哲学講義録。

子どもの人権をまもるために　木村草太 編

「子どもには人権がある」と言われるが、その権利は保障されているか。貧困、虐待、指導死、保育不足など、いま子どもたちに降りかかる様々な困難はまさに「人権侵害」。この困難から子どもをまもるべく、現場のアクティビストと憲法学者が手を結んだ。「子どものためになる大人でありたい」と願う人に届けたい緊急論考集。